D1584409

Dressez haut
la poutre maîtresse,
charpentiers

et

Seymour,
une introduction

J. D. Salinger

Dressez haut la poutre maîtresse, charpentiers

et

Seymour, une introduction

Traduit de l'anglais (États-Unis)
par Bernard Willerval

PAVILLONS POCHE

Robert Laffont

Titre original : RAISE HIGH THE ROOF BEAM, CARPENTERS and SEY-
MOUR AN INTRODUCTION
Copyright © 1955, 1959 by J. D. Salinger
Copyright renewed 1983, 1987 by J. D. Salinger
Traduction française : Éditions Robert Laffont, S.A.S., Paris,
1964, 2009, 2019

ISBN : 978-2-221-24081-6
Dépôt légal : janvier 2019

Les deux nouvelles qui forment ce livre ont paru en première
publication dans le *New Yorker*.

S'il reste au monde un seul amateur de lecture — ou même un homme qui lit et oublie aussitôt — je le prie, avec une affection et une reconnaissance indicibles, de bien vouloir partager en quatre la dédicace de ce livre avec ma femme et mes enfants.

Dressez haut
la poutre maîtresse,
charpentiers

Un soir, il y a de cela une vingtaine d'années, alors que notre immense famille était la victime d'une vigoureuse offensive d'oreillons, ma plus jeune sœur, Franny, fut transportée, avec son berceau, dans la chambre manifestement saine que je partageais avec Seymour, mon frère aîné. J'avais quinze ans, Seymour en avait dix-sept. Vers 2 heures du matin, les cris de la nouvelle venue me réveillèrent. Je restai pendant quelques minutes dans une position parfaitement neutre, écoutant ce remue-ménage, jusqu'à ce que j'entendisse ou sentisse Seymour bouger dans le lit voisin du mien. À cette époque, nous laissions en permanence une lampe électrique sur la table de nuit placée entre nos lits, en prévision de cas d'urgence qui, si mes souvenirs sont exacts, ne se produisirent jamais. Seymour alluma cette lampe et se leva.

— Le biberon est sur le poêle, c'est maman qui me l'a dit, dis-je.

— Je le lui ai donné il y a un moment, répondit Seymour, elle n'a pas faim.

Il se dirigea vers la bibliothèque et promena lentement le faisceau de sa lampe le long des rayons. Je m'assis dans mon lit.

— Qu'est-ce que tu vas faire ? dis-je.

— Je me suis dit que je pourrais peut-être essayer de lui lire quelque chose, me répondit Seymour en prenant un livre.

— Mais elle n'a que dix mois, voyons ! objectai-je.

— Je le sais bien, répondit Seymour. Les bébés ont des oreilles, tu sais, ils ont des oreilles pour entendre.

L'histoire que Seymour, ce soir-là, lut à Franny à la lueur incertaine d'une lampe de poche, était une de ses histoires favorites, une histoire taoïste. Franny affirme encore sur l'honneur qu'elle se souvient très clairement de la voix de Seymour.

Le duc Mu de Chin dit à Po Lo :

— Tu as maintenant de l'âge. Y a-t-il un membre de ta famille que je pourrais employer à ta place pour s'occuper de me trouver des chevaux ?

Po Lo répondit :

— On peut choisir un bon cheval d'après sa constitution générale et son apparence. Mais le cheval exceptionnel, celui qui ne soulève pas de poussière sur les chemins et ne laisse pas de traces, est aussi évanescent, fuyant et insaisissable que l'air. Les talents de mon fils appartiennent à un plan tout à fait différent des miens. Il peut reconnaître un bon cheval lorsqu'il en voit un, mais il est incapable de reconnaître un cheval exceptionnel. Mais j'ai un ami, appelé Chiu-fang Kao, marchand de combustibles et de légumes, qui, en tout ce qui touche aux chevaux, n'est en rien mon inférieur. Faites-le venir, je vous prie.

Le duc Mu le fit venir, et l'envoya là-dessus chercher une jument. Trois mois plus tard, il revint dire au duc qu'il avait trouvé le cheval.

— Il est pour le moment à Shach'iu, ajouta-t-il.

— Et quelle sorte de cheval est-ce ? demanda le duc.

— Oh ! c'est une jument gris souris, répondit-il.

Or, quelqu'un ayant été envoyé pour amener cette jument au duc, il s'avéra que c'était en réalité un étalon noir ! Le duc, très déçu, fit venir Po Lo.

— Votre ami, lui dit-il, celui à qui j'avais demandé de me trouver un cheval, ne s'en est pas tiré à son honneur. Comment ! Il n'est même pas capable de distinguer la couleur et le sexe d'un cheval ! Alors je me demande ce qu'il peut bien connaître aux chevaux ?

Po Lo poussa un soupir de satisfaction.

— En est-il vraiment arrivé là ? s'écria-t-il. Alors, il vaut dix mille hommes comme moi ! Il n'y a pas de comparaison possible entre nous. Car Kao, lui, ne perd pas de vue le mécanisme spirituel. En s'assurant de l'essentiel, il oublie les détails terre à terre ; intéressé avant tout par les qualités intérieures, il ne tient plus aucun compte des qualités extérieures. Il voit ce qu'il veut voir, et non pas ce qu'il ne veut pas voir. Il regarde les choses qu'il devrait regarder et néglige celles qu'il n'est pas indispensable de regarder. Kao est un amateur de chevaux si averti qu'il ne peut s'empêcher, parce que c'est dans sa nature, de juger quelque chose de mieux que les chevaux.

Lorsque le cheval arriva, il s'avéra, en effet, que c'était un cheval exceptionnel.

J'ai reproduit toute cette histoire non pas seulement parce que j'aime faire des digressions pour recommander un bon texte pacificateur aux parents ou aux frères aînés de bébés de dix mois, mais pour une raison très différente. Après ce paragraphe viendra aussitôt le récit d'un mariage en 1942. C'est, à mon avis, un récit complet, qui comporte un début, une fin et une moralité propres. Je me sens cependant tenu, parce que j'en suis informé, d'avertir le lecteur que le marié, aujourd'hui, en 1955, n'est plus de ce monde. Il s'est suicidé en 1948, en Floride, au cours de vacances qu'il prenait là-bas avec sa femme… Il est pourtant une chose indubitable, c'est que je veux en venir à ceci : depuis que le marié s'est retiré pour de bon de la scène du monde, je n'ai jamais trouvé personne que j'aie jugé capable de le remplacer pour aller me chercher un cheval.

À la fin du mois de mai 1942, la progéniture – formée de sept membres – de Les et Bessie (Gallaher)

Glass, comédiens retraités des tournées Pantages, fut jetée littéralement aux quatre coins des États-Unis. En ce qui me concerne – j'étais le second par rang d'âge – je me trouvais dans l'hôpital militaire de Fort Benning, en Géorgie, avec une pleurésie, cadeau d'adieu des treize semaines d'entraînement que m'avait fait subir l'infanterie. Les jumeaux, Walt et Waker, avaient été séparés depuis une année entière déjà. Waker se trouvait dans un camp réservé aux objecteurs de conscience, dans le Maryland, et Walt, lui, était quelque part dans le Pacifique, ou du moins en train de s'y rendre, avec une unité d'artillerie de campagne. (Nous n'avons jamais pu savoir avec certitude où se trouvait Walt à cette époque. Il n'avait jamais aimé écrire – des lettres moins que toutes choses – et, après sa mort, nous ne reçûmes pratiquement aucun détail précis ou personnel. Il fut tué dans un accident militaire d'une absurdité ahurissante, à la fin de l'automne 1945, au Japon.) Ma sœur aînée, Boo Boo, qui se place, chronologiquement, entre les jumeaux et moi, était sous-officier dans les *waves*[1], et son unité était stationnée, bon an mal an, dans une base navale de Brooklyn. Pendant tout ce printemps et cet été-là, elle occupa le petit appartement de New York que

1. *Women Appointed for Voluntary Emergency Service* : volontariat féminin du temps de guerre dans la marine américaine. (*N.d.T.*)

mon frère Seymour et moi avions pratiquement abandonné après notre appel sous les drapeaux. Les deux cadets de la famille, Zooey, un garçon, et Franny, une fille, étaient avec nos parents à Los Angeles, où mon père bradait son talent pour un studio de cinéma. Zooey avait treize ans, et Franny huit. Ils figuraient chaque semaine dans une émission de radio (c'étaient des jeux radiophoniques réservés aux enfants) appelée, avec une ironie maligne peut-être très américaine, « C'est un enfant avisé ». À un moment ou à un autre – donc autant le dire tout de suite – ou, pour être plus précis, une année ou l'autre, à tour de rôle, tous les enfants de notre famille ont participé en qualité « d'hôtes » hebdomadaires rémunérés à « C'est un enfant avisé ». Seymour et moi fûmes les premiers participants, en 1927, à l'âge respectif de dix et huit ans, aux jours où l'émission était « l'émanation » directe de l'une des salles de réunions privées du vieux Murray Hill Hotel. Tous les sept, de Seymour à Franny, nous participâmes à cette émission sous des pseudonymes divers. Chose qui pourra paraître extrêmement surprenante si l'on pense que nous étions des enfants de comédiens, gens à qui la publicité répugne rarement, mais ma mère avait, un jour, lu un article de revue traitant des petites croix que les enfants des gens du théâtre sont obligés de porter – entre autres la coupure d'avec la société normale et par suite souhaitable, désirable – et elle en avait retiré une conviction que jamais, au grand jamais, rien n'ébranla. (Ce n'est pas du tout le moment d'entrer dans la question de savoir si les enfants « prodiges » devraient être mis hors la loi, pris en pitié ou encore exécutés brutalement en tant que fauteurs de troubles. Pour l'instant, je vous confierai seulement que nos revenus combinés grâce à l'émission « C'est un enfant avisé » ont permis d'envoyer six d'entre nous à l'université et y envoient actuellement la septième.)

Notre frère aîné, Seymour, le seul qui m'intéresse ici, était caporal dans ce qu'on appelait encore, en 1942, l'Air Corps[1]. Il était stationné en Californie, sur une base de bombardiers B 17, où je le *crois* du moins, il était employé aux écritures de sa compagnie. Je pourrais ajouter, et pas tellement en manière de parenthèse, qu'il était de très loin le champion de la parcimonie en matière épistolaire dans notre famille. Je ne crois pas avoir reçu plus de cinq lettres de lui dans ma vie.

Le matin du 2 ou du 3 mai (personne n'a jamais pris la peine de dater une lettre dans ma famille), une lettre de ma sœur Boo Boo fut placée au pied de mon lit à l'hôpital militaire de Fort Benning au moment même où on entourait mon diaphragme de rubans adhésifs (pratique médicale courante chez les malades

---

1. On dit maintenant – depuis la dernière guerre mondiale – *Army Air Forces*. (*N.d.T.*)

atteints de pleurésie, et destinée sans doute à les empêcher de se briser en morceaux lorsqu'ils toussent). Lorsque cette épreuve fut achevée, je pus lire la lettre de Boo Boo. Je l'ai conservée, et la voici, en version intégrale :

Mon cher Buddy,

Je suis très pressée, je dois faire mes valises, alors cette lettre sera courte, mais pénétrante. L'amiral Pince-Fesses a décidé qu'il était obligé de s'envoler vers les lieux où l'effort de guerre est inconnu, et il a également décidé d'emmener sa secrétaire – si du moins je me tiens bien. J'en suis déjà dégoûtée. Seymour mis à part, ça veut dire des huttes Quonset sur des bases aériennes glaciales, des flirts appuyés de la part de nos jeunes combattants, et ces horribles sacs en papier qu'on distribue dans l'avion aux passagers avant qu'ils soient malades. Ce qui compte, c'est que Seymour va se marier, oui, se marier, alors, de grâce, lis bien ce qui suit. Je ne peux pas y aller. Je vais rester absente de six semaines à deux mois, et je ne sais même pas où je dois aller. J'ai fait la connaissance de sa fiancée. À mon avis, c'est une nullité, mais elle a une allure terrible. Je ne sais pas vraiment si c'est une nullité. Je peux dire seulement qu'elle a prononcé à peine deux mots pendant la soirée que j'ai passée avec elle. Elle est restée assise, elle n'a pas cessé de fumer et de sourire, alors je ne peux pas vraiment la juger. Je ne sais pas grand-chose sur leur aventure, sauf que Seymour a fait sa connaissance quand il était au camp de Monmouth, l'hiver dernier. Sa mère, par contre, est le cas limite par excellence : elle a un pied dans tous les arts existants et elle voit deux fois par semaine un psychiatre jungien (elle m'a demandé deux fois, ce soir-là, si je m'étais déjà fait psychanalyser). Elle m'a dit qu'elle voudrait beaucoup que Seymour se lie avec plus de gens. Et dans la même foulée, elle m'a déclaré qu'elle l'adorait, quoique bien sûr... etc. A dit aussi qu'elle l'écoutait religieusement à la radio pendant toutes les années où il a passé sur les ondes. Je ne sais rien de plus, sauf qu'il faut que tu ailles au mariage. Si tu n'y vas pas, je ne te le pardonnerai jamais. Sans blague. Papa et maman ne peuvent pas – matériellement – venir ici de la Côte ouest. D'abord, Franny a attrapé la rougeole. À propos, est-ce que tu l'as écoutée la semaine dernière ? Elle a raconté magnifiquement qu'à quatre ans elle faisait le tour de l'appartement en courant ou en volant quand elle était seule. Le nouveau présentateur est pire que Grant, et même pire, si c'est possible, que le Sullivan d'autrefois. Il a dit qu'elle avait certainement rêvé qu'elle avait volé. Mais Franny a tenu le coup bravement. Elle a dit qu'elle savait qu'elle était capable de voler parce que, en touchant terre, elle avait toujours de la poussière sur les doigts : elle avait la manie de toucher les ampoules électriques. Je meurs d'envie de te voir. Et de la voir. Mais il faut absolument *que tu ailles au mariage. Vas-y sans permission s'il le faut, mais vas-y, s'il te plaît. C'est le 4 juin, à 3 heures. Ce sera tout à fait non confessionnel et très émancipé, et ça se passera chez la grand-mère de la mariée, dans la 63e Rue. C'est un juge dont j'ai oublié le nom qui doit les marier. Je ne sais plus le numéro de la maison, mais c'est deux maisons plus bas que celle dans laquelle Carl et Amy vivaient si luxueusement. Je vais télégraphier à Walt, mais je crois que son bateau a déjà dû partir. S'il te plaît, va à ce mariage, Buddy. Seymour n'a plus que la peau sur les os, et il a un air d'extase perpétuelle qui interdit toute conversation. Peut-être que tout se passera bien, mais je déteste 1942. Je crois que je détesterai 1942 jusqu'à ma mort, pour des raisons de principe. Nous nous verrons à mon retour. Bien affectueusement.*

Boo Boo.

Deux jours après l'arrivée de cette lettre, on me renvoya de l'hôpital, sous la garde, si je puis dire, d'environ trois mètres de ruban adhésif enroulés autour de mes côtes. J'entamai alors une campagne pénible, qui dura toute la semaine, pour obtenir la permission d'aller à ce mariage. Je finis par l'emporter en me gagnant la sympathie du commandant de ma compagnie, un grand amateur de lecture, de son propre aveu, dont l'auteur favori, par une chance extraordinaire, était aussi le mien : L. Manning Vines. Ou bien Minds. Malgré ce lien spirituel, je ne pus obtenir de lui qu'une permission de trois jours qui me donnerait, au mieux, juste assez de temps pour aller en train jusqu'à New York, voir le mariage, avaler un dîner hâtif quelque part, et rentrer, baigné de transpiration, en Virginie.

Tous les wagons, en 1942, n'avaient une ventilation que théoriquement, et, si mes souvenirs sont exacts, ils étaient remplis de police militaire et sentaient le jus d'orange, le lait et le whisky. J'ai passé la nuit à tousser et à lire un numéro d'*Ace Comics* que quelqu'un avait eu la bonté de me prêter. Lorsque le train s'arrêta à New York, à 2 h 10, l'après-midi du mariage, j'étais trop épuisé pour tousser, j'étais baigné de sueur, mes vêtements étaient pleins de plis et mon ruban adhésif me grattait terriblement. New York était horriblement étouffant. Je n'avais pas le temps d'aller jusqu'à mon appartement et je dus laisser mes bagages – un petit sac de toile à fermeture Éclair, qui paraissait gonflé comme une outre – dans une boîte de la consigne automatique de Penn Station. Pour ne rien gâter, alors que j'errais dans le quartier, à la recherche d'un taxi libre, un lieutenant des transmissions, que j'avais pro-bablement omis de saluer, en traversant la Septième Avenue, sortit brusquement un stylo de sa poche et écrivit mon nom, mon matricule militaire et mon adresse tandis qu'un petit groupe de civils assistait à cette petite scène avec un intérêt non dissimulé.

En prenant enfin place dans un taxi, j'étais épuisé. Je donnai au chauffeur des indications suffisantes pour me conduire au moins à la hauteur de l'ancienne maison de Carl et Amy. Mais dès que nous arrivâmes en vue de ce pâté de maisons, tout fut simple. Il n'y avait qu'à suivre la foule. On avait même placé un vaste dais de toile au-dessus de l'entrée. Un instant plus tard, j'entrai dans la vieille maison de grès, une maison immense, et une jeune femme très jolie, parfumée à la lavande, vint à ma rencontre et me demanda si j'étais un ami du fiancé ou de la fiancée.

— Du fiancé, dis-je.

— Ah bon ! dit-elle. Nous sommes justement en train de regrouper tous les invités.

Elle rit un peu trop fort et m'indiqua ce qui me parut être la dernière chaise pliante libre dans une vaste pièce bondée de gens. Treize ans d'oubli m'interdisent de risquer une description physique de cette pièce. Outre le fait qu'elle était remplie à craquer et qu'il y faisait une chaleur étouffante, je n'en ai gardé que deux souvenirs précis : un orgue jouait presque dans mon dos, et la femme assise juste à ma droite se tourna vers moi et murmura – assez haut pour qu'on pût l'entendre de partout – avec un enthousiasme excessif : « Je suis Helen Silsburn ! » À voir comment nos sièges étaient placés, je déduisis qu'elle ne pouvait pas être la mère de la fiancée, mais, par souci de prudence, je souris et fis un grand signe d'assentiment, à la ronde, et j'allais dire à mon tour qui j'étais lorsqu'elle mit sur ses lèvres un doigt long et effilé : nous nous tournâmes tous les deux vers l'avant. Il était alors 3 heures environ. Je fermai les yeux et j'attendis, vaguement sur mes gardes, que l'organiste cessât de jouer à peu près n'importe quoi pour se lancer dans *Lohengrin*.

Je ne sais plus très bien comment le temps se passa jusqu'à 4 heures et quart, mais on ne joua pas du tout *Lohengrin*. Je me rappelle toute une série de visages – dispersés dans la pièce – qui se retournaient de temps en temps avec une discrétion étudiée, pour voir qui toussait. Et je me souviens que ma voisine de droite se tourna une fois encore vers moi pour me dire du même murmure théâtral : « Il doit y avoir un retard imprévu ? » Et elle ajouta : « Avez-vous déjà vu le juge Ranker ? Il a une tête de *saint* ! » Et j'entends encore l'orgue passer, en une sorte de virage presque désespéré, d'un morceau de Bach à du Rodgers and Hart première manière. Je crois pourtant, hélas, que je passai le plus clair de mon temps à me donner à moi-même des consultations de spécialiste tellement j'étais contraint de réprimer mes envies de tousser. Je sentais vaguement, et avec une terreur affreuse, que j'étais sur le point d'avoir une hémorragie ou, du moins, de me fracturer une côte, malgré mon corset de ruban adhésif.

À 4 h 20 ou, pour dire les choses plus brutalement, une heure vingt minutes après l'instant au-delà duquel nul espoir n'était plus permis, la fiancée, la tête baissée, encadrée de son père et de sa mère, fut conduite hors de la maison et on l'aida à descendre, non sans difficulté, un très long escalier de pierre qui menait au trottoir. On la déposa alors, presque en se la passant de main en main, me sembla-t-il, dans la première des limousines noires de louage qui attendaient là, garées en double file. Ce fut un instant particulièrement propice à la description, un instant très dense, et comme toujours dans ces cas-là, il y avait le complément habituel de témoins, de spectateurs, car les invités (moi y compris) avaient commencé à se répandre hors de la maison, sans souci du décorum, en petits troupeaux affairés, pour ne pas dire avides de se repaître les yeux de quelque spectacle alléchant. Si le spectacle avait un aspect adoucissant, lénitif – aux yeux de quelques-uns –, le temps en était responsable. Le soleil de juin était si chaud et si aveuglant, sa puissance faisait penser à tant de lampes électriques réunies que la silhouette de la future mariée, tandis qu'elle descendait si gauchement l'escalier de pierre, tendait à s'estomper là où l'on avait le plus de raisons de le regretter.

Dès que la voiture de la future épouse eut physiquement quitté la scène, la tension sur le trottoir – surtout à l'entrée du dais de toile, au bord du trottoir, là où, en ce qui me concerne, j'attendais la suite des événements – la tension, dis-je, se dégrada en ce qui, la maison eût-elle été une église et ce jour-là un dimanche, eût pu être pris pour la confusion qui préside généralement à la dispersion des fidèles à la sortie d'un office. Et puis, très vite, un mot d'ordre circula, amplifié – il était issu de l'oncle de la marée, Al –, selon lequel les invités devaient *utiliser* les voitures garées au bord du trottoir, autrement dit, l'ordre valait, qu'il y eût ou non un changement au programme, qu'il y eût ou non une réception. Si je puis donner comme échantillon valable la réaction qui se produisit autour de moi à cette nouvelle, on la reçut généralement comme un *beau geste*. Il n'allait pas tout à fait sans dire, cependant, que les voitures ne devaient être *utilisées* qu'après qu'un régiment assez imposant, dont on disait vaguement que c'était la « famille proche », eut disposé des moyens de transport nécessaires à son départ. Ensuite, après un retard assez mystérieux qui avait toutes les apparences d'un embouteillage (au cours duquel je restai fermement attaché à la portion de trottoir que j'occupais), la « famille proche » commença enfin son exode, à raison de six ou même sept passagers par voiture, ou, dans certains cas, de trois ou quatre. Ce nombre, d'après mes calculs, était fonction de l'âge, de l'attitude et de la capacité d'expansion, à la hauteur des hanches, des premiers occupants d'un véhicule donné.

Soudain, à l'invitation lancée – très sèchement – par un partant, je me trouvai posté sur la bordure de trottoir, à l'entrée même du dais de toile, et je me vis chargé d'aider les invités à prendre place dans les voitures.

Comme j'avais été élu pour occuper ce poste redoutable, cela me demanda quelque réflexion. Pour autant que je sache, l'homme d'action anonyme – il avait une quarantaine d'années – qui m'avait choisi ignorait totalement que j'étais le frère du marié. Il est donc vraisemblable que je fus choisi pour des motifs beaucoup moins poétiques. C'était l'année 1942. J'avais vingt-trois ans et j'étais mobilisé de fraîche date. Il me paraît indiscutable que ce furent seulement mon âge, mon uniforme et toute l'atmosphère d'obéissance passive et grise qui émanait de ma personne qui avaient été les critères évidents de mon éligibilité au poste envié de chasseur.

Je n'avais pas seulement vingt-trois ans, mais j'étais un jeune homme de vingt-trois ans manifestement retardé. Je me souviens d'avoir poussé les gens dans les voitures sans la moindre compétence. Je m'acquittai même de cette tâche avec un certain détachement, avec l'air buté qu'affectionnent les officiers d'active à l'école de formation : j'accomplissais mon devoir, c'était tout. Au bout de quelques minutes, je pris même trop nettement conscience de ce que j'étais préposé au service d'une génération généralement plus âgée que la mienne, plus petite de taille et mieux en chair, et mes « prestations » en qualité de placeur (il fallait prendre les gens par le bras et refermer les portières) en acquirent immédiatement une rudesse très virile. Je commençai à me conduire comme un jeune géant très gentil, exceptionnellement adroit, et qui toussait.

Mais la chaleur de l'après-midi était, pour le moins, très pénible, et les compensations de ma charge durent me sembler de plus en plus symboliques. Brusquement, alors même que la foule qui composait « la famille proche » semblait à peine commencer à diminuer, je sautai dans une voiture juste remplie qui démarrait lentement. Ce faisant, je me fis une véritable bosse (peut-être aussi bien méritée) sur le toit de la voiture. L'un des occupants de la voiture n'était autre que mon amie au murmure si théâtral, Helen Silsburn, et elle me témoigna immédiatement une sympathie sans bornes. Le choc de la bosse avait manifestement résonné à travers toute la carrosserie. Mais, à vingt-trois ans, j'étais de ces jeunes gens qui réagissent à toute blessure reçue publiquement – la fracture du crâne exclue – par un rire creux et, disons le mot, infra-humain.

La voiture se dirigea vers l'est, plongeant directement, pour ainsi dire, dans le haut-fourneau grand ouvert de l'après-midi. Elle continua dans cette direction pendant quelque temps, jusqu'à la hauteur de

Madison Avenue ; là, elle vira brusquement vers le nord. J'eus l'impression que nous n'avions échappé à une mort horrible par combustion que grâce à l'immense dextérité de notre chauffeur anonyme.

Pendant les premières centaines de mètres sur Madison Avenue, la conversation dans la voiture resta limitée essentiellement à des remarques comme : « Est-ce que je vous laisse vraiment assez de place ? » et, « Je n'ai jamais eu aussi chaud de toute ma vie ! » La personne qui n'avait jamais eu aussi chaud de toute sa vie était, comme je l'avais appris en ouvrant toutes grandes mes oreilles au bord du trottoir, la dame d'honneur de la mariée. C'était une jeune femme solidement bâtie, qui avait vingt-quatre ou vingt-cinq ans ; elle portait une robe de satin rose et elle s'était mis dans les cheveux un diadème de myosotis artificiels. Une atmosphère nettement athlétique émanait d'elle, et on eût pu penser qu'un an ou deux auparavant, elle avait terminé brillamment ses études d'éducation physique. Elle tenait sur ses genoux un bouquet de gardénias comme si c'était un ballon de volley-ball dégonflé. Elle était assise sur la banquette arrière, serrée entre son mari et un petit homme vêtu d'un haut-de-forme et d'un habit à queue, qui tenait à la main un havane non allumé. Mme Silsburn et moi – nos genoux du côté « intérieur » se touchaient sans la moindre équivoque – occupions les strapontins. Deux fois, sans le moindre prétexte, mais par pur sentiment d'approbation, je jetai un coup d'œil au petit homme âgé. Lorsque je m'étais occupé de remplir cette voiture et que je lui avais tenu la portière, j'avais eu brusquement envie de le saisir à bras-le-corps et de le faire passer délicatement par la vitre baissée. Il était la petitesse incarnée – sa taille ne dépassait certainement pas un mètre vingt-cinq – mais il n'avait pourtant rien d'un nain. Dans la voiture, il regardait droit devant lui, l'air sévère. La seconde fois que je me retournai pour le regarder, je remarquai qu'il y avait… oui, une tache de sauce déjà ancienne sur le revers de son habit. Je vis aussi que son chapeau de soie était au moins à dix centimètres du toit de la voiture… Mais pendant ces premières minutes passées dans la voiture, je restai essentiellement préoccupé par ma propre santé. J'avais non seulement une pleurésie et une bosse au crâne, mais je craignais, en hypocondriaque que j'étais alors, de ressentir un début d'angine. Je me passai discrètement la langue, en la roulant sur elle-même, sur les parties malades de mon arrière-bouche. Je regardais, je m'en souviens, droit devant moi, c'est-à-dire vers la nuque du chauffeur, qui était une carte en relief de cicatrices de furoncles. Brusquement, ma voisine de strapontin s'adressa à moi :

— Je n'ai pas eu l'occasion de vous le demander dans la maison, tout à l'heure. Comment va votre charmante mère ? Vous êtes bien Dick Briganza.

Au moment où elle me posa cette question, ma langue était repliée en arrière dans une exploration muette. Je la dégageai de cette position incommode, avalai ma salive et me tournai vers ma voisine. Elle avait une cinquantaine d'années, et elle était vêtue avec une élégance et un bon goût particulièrement frappants. Son maquillage, seul, était un peu trop épais. Je répondis par la négative : je n'étais pas Dickie Briganza.

Elle me regarda alors en rétrécissant les pupilles de ses yeux et me dit que je ressemblais pourtant trait pour trait au fils de Celia Briganza. Surtout autour de la bouche. Je tentai de prouver, par mon expression, que c'était là une erreur que n'importe qui eût pu commettre. Et puis je recommençai à contempler le cou du chauffeur. Personne ne parlait dans la voiture. Pour me changer les idées, je jetai un coup d'œil par la vitre.

— Est-ce que l'armée vous plaît ? me demanda Mme Silsburn brusquement, sur un ton de conversation mondaine.

Au même instant, j'eus une quinte de toux brève et violente. Lorsqu'elle fut finie, je me tournai vers elle avec toute la diligence dont j'étais capable et je lui dis que je m'étais fait un tas de copains. Je dois dire que le simple fait de me tourner vers elle représentait pour moi un petit exploit avec mon corset de ruban adhésif !

Elle fit oui de la tête.

— Je vous trouve merveilleux ! dit-elle d'un ton assez ambigu. Êtes-vous un ami du fiancé ou de la fiancée ? demanda-t-elle alors, posant ainsi la question qu'elle avait patiemment préparée.

— À vrai dire, non, je ne suis pas un ami de…

— Je ne vous conseille pas de dire que vous êtes un ami du fiancé ! me lança alors la dame d'honneur du fond de la voiture. J'aimerais le tenir entre mes mains juste une ou deux minutes, celui-là. *Deux* minutes, ça me suffirait !

Mme Silsburn se retourna une seconde vers la dame d'honneur, une seconde seulement, mais d'une rotation complète, et elle lui sourit. Et puis elle reprit sa position antérieure. Nous avions, à vrai dire, accompli ce demi-tour complet presque à l'unisson. Si l'on pense que Mme Silsburn ne s'était retournée qu'une brève seconde, on est obligé de considérer son sourire comme un petit chef-d'œuvre du genre. Il avait été assez intense pour manifester une solidarité totale avec tous les jeunes du monde entier, mais plus particulièrement avec leur représentante pleine d'esprit et de franchise à qui, peut-être, elle n'avait été présentée que très rapidement, si même elle l'avait été.

— Tigresse assoiffée de sang ! dit une voix d'homme entrecoupée de petits rires de gorge.

Et Mme Silsburn et moi-même nous retournâmes une fois encore. C'était le mari de la dame d'honneur qui avait parlé. Il était assis juste derrière moi, à la gauche de sa femme. J'échangeai avec lui un de ces regards brefs et glacés qu'en cette année 1942, cette année à tant d'égards aussi pourrie, seuls un officier et un simple soldat pouvaient échanger. Lieutenant des transmissions, mon voisin de derrière portait une très curieuse casquette de pilote, une sorte de chapeau à visière dont on avait ôté le tour métallique, ce qui, en général, donnait au propriétaire de la casquette l'air intrépide qu'il avait visiblement recherché. Dans le cas précis de cet homme, néanmoins, la casquette était loin de remplir cet objectif. Elle semblait plus simplement destinée à faire ressembler mon propre calot, un calot réglementaire et naturellement trop grand pour moi, à un chapeau de clown qu'on aurait retiré par mégarde d'un incinérateur. Le lieutenant avait un visage jaunâtre et un air perpétuellement intimidé. Il transpirait avec une profusion presque incroyable sur le front, sur la lèvre supérieure et même au bout du nez, ce qui donnait envie de lui proposer une tablette de sel.

— Oui, je suis marié à la tigresse la plus sanguinaire qui soit dans les six comtés ! dit-il en s'adressant à Mme Silsburn au milieu d'un petit rire bref et doux. En signe de déférence machinal à l'égard de son rang, je faillis rire avec lui, en même temps qu'il parlait, de ce rire bref, stupide, militaire, soldatesque qui eût signifié très clairement que j'étais de son côté et du côté de tous les passagers de la voiture et contre personne en particulier.

— Je ne *plaisante* pas, dit la dame d'honneur, donnez-moi deux minutes avec lui et ça fera mon affaire ! Seigneur ! Si seulement je pouvais poser mes deux petites mains...

— Bon, calme-toi, calme-toi maintenant, dit son mari avec une bonne humeur conjugale qui coulait d'une source apparemment intarissable. Calme-toi. Tu vivras plus longtemps.

Mme Silsburn se retourna une fois encore vers le fond de la voiture et gratifia la dame d'honneur d'un sourire nullement équivoque.

— A-t-*on* vu un seul de ses parents au mariage ? dit-elle doucement, avec une légère insistance de bon ton sur le pronom indéfini.

La réponse de la dame d'honneur gicla comme un gaz toxique d'un tuyau, en un volume mortel.

— *Non*. Ils sont tous sur la côte ouest, ou quelque part par là. Mais j'aurais bien voulu en voir un !

Son mari émit un nouveau petit rire.

— Et qu'est-ce que tu aurais fait dans ce cas-là, mon petit ? demanda-t-il en me faisant machinalement un clin d'œil.

— Ça, j'en sais rien, mais je ne serais pas restée les bras croisés ! dit la dame d'honneur.

Le rire de son mari prit une intensité croissante.

— Tu peux me faire confiance ! ajouta-t-elle. Je lui aurais *dit* quelque chose, et sans me gêner. Non, vraiment ?

Elle parlait avec une assurance grandissante, et il était visible que, guidée par les questions de son mari, elle sentait que son auditoire trouvait quelque chose de très séduisant, de très discret dans son sens de la justice, aussi irréfléchi et irréalisable qu'il fût.

— Ce que je lui aurais dit, je n'en sais rien. Sûrement des bêtises. Mais franchement ! Hein ? Je ne peux pas supporter de voir qui que ce soit se tirer sans dommage d'un vrai meurtre comme celui-là. Ça me fait bouillir !

Elle s'interrompit juste assez longtemps pour permettre à Mme Silsburn de la relancer par un simple regard de fausse admiration.

— Je parle très sérieusement, reprit la dame d'honneur. On ne devrait quand même pas pouvoir se balader dans la vie comme ça en choquant les gens chaque fois qu'on en a envie !

— Je sais très peu de choses sur le jeune homme, j'en ai peur, dit Mme Silsburn d'une voix très douce. En réalité, je ne l'ai jamais rencontré. Quand j'ai appris que Muriel était fiancée…

— *Personne* ne l'a rencontré, dit la dame d'honneur d'une voix coupante. Je ne l'ai même pas vu une seule fois. Nous avons répété la cérémonie deux fois, et les deux fois, c'est le pauvre père de Muriel qui a dû le remplacer, et tout ça parce que son avion n'avait soi-disant pas pu décoller. Il était censé arriver ici mardi soir dans un avion militaire, mais il paraît qu'il *neigeait*, vous vous rendez compte, dans le Colorado ou l'Arizona, enfin dans ce coin-là, et il n'est arrivé qu'à 1 heure du matin, vous m'entendez bien, et pas mardi, non, *hier*. Et alors... à cette heure incroyable, il appelle Muriel au téléphone d'une extrémité de Long Island, oui, *de Long Island*, je crois, et il lui demande de venir le retrouver dans le hall d'une espèce d'hôtel crasseux pour parler un peu avec lui !

La dame d'honneur eut alors un frisson très éloquent.

— Vous connaissez Muriel. Vous savez qu'elle se laisserait marcher sur les pieds par n'importe qui sans rien dire. C'est justement ça qui me dégoûte. C'est toujours les gens comme elle qui ramassent toutes les injustices... En tout cas, elle se lève, elle s'habille, elle prend un taxi et elle reste jusqu'à 5 heures moins le quart du *matin* à discuter avec lui dans un hall d'hôtel crasseux !

La dame d'honneur relâcha son bouquet de gardénias juste assez longtemps pour élever ses deux poings serrés à la hauteur de sa poitrine.

— Ça me rend complètement folle ! dit-elle.

— Quel hôtel ? demandai-je alors. Est-ce que vous le savez ?

Je tentai de parler d'un ton indifférent, un peu comme si mon père était hôtelier et que je m'intéressais, en bon fils que j'étais, aux hôtels où les gens descendent quand ils viennent à New York. En réalité, ma question n'avait pratiquement aucun sens. J'avais simplement pensé tout haut, c'était tout. Je m'étonnais, en esprit, du fait que mon frère avait invité sa fiancée à le retrouver, non pas à son appartement, qui était pourtant disponible et vide, mais dans le hall d'un hôtel. Ce qu'il y avait de hautement moral dans cette invitation n'avait absolument rien d'extraordinaire en ce qui concernait mon frère, mais j'y prenais un vague intérêt.

— Quel hôtel ? Je n'en sais rien, dit la dame d'honneur avec irritation. Un hôtel quelconque, c'est tout ce que je sais.

Elle me regarda fixement.

— Pourquoi ? dit-elle. Êtes-vous de ses amis ?

Son regard était très nettement intimidant. Il semblait provenir d'une femme que le temps et le hasard seuls séparaient de son tricot et d'une vue unique sur la guillotine. J'ai toujours eu peur, en ce qui me concerne, des gens du peuple en colère.

— Nous sommes allés à l'école ensemble, répondis-je d'une voix presque inintelligible.

— Eh bien, vous avez de la chance !

— Allons, allons, dit son mari.

— Bon, je suis désolée, dit la dame d'honneur à son mari, mais en s'adressant en réalité à nous tous. Mais on voit bien que tu n'as pas passé une heure entière dans une pièce à regarder cette pauvre enfant pleurer toutes les larmes de son corps. Ce n'est pas drôle, pas du tout, et je te conseille de ne pas l'oublier. J'ai déjà entendu des histoires de mariés qui finissent par attraper froid aux pieds à force d'attendre, et des tas de trucs comme ça. Mais on ne fait pas ça à la dernière minute ! Je veux dire qu'on doit s'arranger pour ne pas mettre dans l'embarras un tas de gens très gentils, et qu'on doit tout faire pour éviter de détruire pour longtemps le goût de vivre d'une pauvre fille ! S'il avait changé d'avis, pourquoi ne lui a-t-il pas écrit qu'il voulait rompre comme un *gentleman*, hein, pourquoi, au nom du ciel ? Avant que l'irréparable soit commis !

— Bon, bon, calme-toi, calme-toi, je t'en supplie, dit son mari.

Il riait encore comme auparavant, mais on sentait qu'il devait faire un effort.

— Mais non, je parle très sérieusement ! Pourquoi ne lui a-t-il pas écrit pour lui dire, comme un homme, qu'il voulait rompre ? Pourquoi n'a-t-il pas tout fait pour prévenir cette tragédie ?

Elle me regarda brusquement.

— Est-ce que par hasard vous sauriez où il est ? me dit-elle d'une voix chargée de balles. Puisque vous avez été amis *d'enfance*, vous devriez avoir...

37

— Je suis arrivé à New York il y a tout juste deux heures, répondis-je d'une voix inquiète.

En cet instant, la dame d'honneur n'était plus seule à me regarder fixement, il y avait aussi son mari et Mme Silsburn.

— Je n'ai même pas encore eu l'occasion de m'approcher d'un téléphone, c'est vous dire…

Au même instant, je m'en souviens, j'eus une forte quinte de toux. Elle n'avait rien de simulé, mais je dois dire que je ne fis rien pour la retenir ni abréger sa durée.

— Vous avez fait examiner cette toux ? me demanda le lieutenant d'une voix de commandement lorsque je cessai de tousser.

Presque en même temps, une seconde quinte de toux me secoua, tout aussi authentique que la première. J'étais encore à demi tourné sur mon straponton, et mon corps était incliné juste assez vers l'avant pour que ma toux eût toutes les qualités hygiéniques requises.

Je sais que cela va paraître confus, mais il me semble indispensable de glisser ici même un paragraphe pour répondre à une ou deux questions embarrassantes. D'abord, pourquoi suis-je resté dans la voiture ? Toutes considérations extérieures mises à part, cette voiture devait conduire ses occupants à l'appartement des parents de la mariée. Aucun renseignement, aussi important soit-il, que j'aurais pu obtenir, directement ou non, de la mariée non mariée et prostrée ou de ses parents (déboussolés, et, vraisemblablement, furieux), n'eût pu compenser l'étrangeté de ma présence dans leur appartement. Pourquoi, dans ces conditions, restai-je dans la voiture ? Pourquoi ne suis-je pas descendu, par exemple, à un feu rouge ? Et, question plus pertinente encore, pourquoi étais-je monté dans cette voiture ?... Ces questions, me semble-t-il, appellent une douzaine de réponses qui, aussi étranges qu'elles puissent être, sont toutes valables. Mais je pense que je puis me dispenser de les donner toutes et qu'il suffira que je répète qu'on était en 1942, que j'avais vingt-trois ans, que je venais d'être mobilisé et d'être initié à l'art si efficace qui consiste à hurler avec les loups. Je dois dire aussi que j'étais solitaire. Oui, c'est ainsi que je vois les choses : placé dans ces conditions, un homme sautait dans une voiture déjà pleine et n'en descendait pas.

Pour en revenir à mon récit, je me souviens que, tandis que la dame d'honneur, son mari et Mme Silsburn me regardaient fixement et écoutaient ma toux, je jetai un coup d'œil au petit homme assis à l'arrière. Il regardait toujours droit devant lui. Je remarquai, presque avec reconnaissance, que ses pieds ne touchaient pas tout à fait le sol. Ils ressemblaient à de vieux amis, des amis précieux.

— De toute façon, qu'est-ce que cet homme fait dans la vie ? dit la dame d'honneur lorsque j'émergeai de ma seconde quinte de toux.

— Vous voulez parler de Seymour ? dis-je.

Il était clair, à entendre l'inflexion de sa voix, qu'elle s'attendait à une réponse particulièrement ignominieuse. Mais, brusquement, je me dis – pure intuition – qu'elle possédait peut-être un grand nombre de renseignements biographiques sur Seymour ; c'est-à-dire, pour être plus précis, les faits vulgaires, inutilement dramatiques et (à mon avis) les plus susceptibles d'induire en erreur sur son compte. Par exemple, qu'il avait été Billy Black, célébrité nationale de la radio, pendant plus de six ans dans son enfance. Ou encore, par exemple, qu'il était entré en première année à l'université Columbia juste après ses quinze ans.

— Oui, je veux parler de Seymour, répondit la dame d'honneur. Qu'est-ce qu'il faisait avant d'être militaire ?

Une fois de plus, je sentis vaguement qu'elle en savait bien plus long sur lui que, pour une raison obscure, elle ne voulait le laisser paraître. J'eus l'impression, pour commencer, qu'elle savait parfaitement que Seymour avait enseigné l'anglais avant son appel sous les drapeaux. Qu'il avait été *professeur*. L'espace d'un instant, en la regardant, j'eus même l'impression très désagréable qu'elle savait peut-être que j'étais le frère de Seymour. C'était une idée sur laquelle il valait mieux ne pas s'appesantir. Je la regardai, autant que j'en fus capable, dans les yeux, et je lui dis :

— Il était pédicure.

Et puis, avec brusquerie, je me retournai vers l'avant et regardai par la vitre. Depuis quelques minutes déjà, la voiture était immobile, et j'avais pris conscience d'un bruit de tambours militaires dans le lointain, quelque part vers Lexington Avenue ou la Troisième Avenue.

— C'est une revue, dit Mme Silsburn. Elle s'était retournée elle aussi.

Nous étions quelque part vers la 90ᵉ Rue. Un agent de police, planté au milieu de Madison Avenue, arrêtait toute la circulation dans le sens nord-sud et sud-nord. Autant que je pouvais en juger, il se contentait de l'arrêter – c'est-à-dire qu'il ne la canalisait nullement vers l'est ou l'ouest. Trois ou quatre voitures et un autobus attendaient de partir vers le sud, mais notre voiture, par un hasard étrange, était la seule qui se dirigeât vers le centre de la ville. Au coin de l'avenue, et sur la partie de la rue menant à la Cinquième Avenue que je pouvais entrevoir, les gens étaient groupés sur deux ou trois rangs le long du trottoir, attendant, apparemment, une revue militaire, un défilé d'infirmières, de boy-scouts ou de tout ce que vous voudrez, et je supposai que ce défilé était sur le point de quitter son lieu de rassemblement, dans Lexington ou dans la Troisième Avenue, et de passer devant nous.

— Oh, Seigneur ! Qu'est-ce qui se passe ? dit la dame d'honneur.

Je me retournai et manquai de très peu me cogner contre elle. Elle était penchée en avant et s'insérait tout juste dans l'espace laissé libre entre Mme Silsburn et moi. Mme Silsburn se tourna vers elle et prit une expression pleine de compréhension peinée.

— On risque de passer des *semaines* ici, dit la dame d'honneur en se démanchant le cou pour regarder vers l'avant, à travers le pare-brise en partie masqué par le chauffeur. Quand je pense que je devrais absolument être arrivée à l'heure qu'il est. J'ai dit à Muriel et à sa mère que je serais dans l'une des toutes premières voitures et que je monterais chez elles en moins de *cinq minutes* ! Seigneur ! Est-ce qu'on ne peut rien faire ?

— Moi aussi, je devrais être arrivée ! dit Mme Silsburn, un peu vite, peut-être.

— Oui, je le lui ai *promis* solennellement. L'appartement va être rempli de vieilles tantes et d'oncles complètement cinglés, et d'étrangers, et je lui ai dit que je monterais la garde avec une dizaine de baïonnettes et que je ferais en sorte qu'elle ait un peu la paix et…

Elle s'interrompit.

— Seigneur ! C'est affreux d'être arrêtée comme ça !

Mme Silsburn rit un peu nerveusement.

— Je suis, je le crains, une de ces tantes complètement cinglées.

Visiblement, elle était offensée. La dame d'honneur la regarda.

— Oh !… Pardonnez-moi, je ne voulais nullement parler de vous, dit-elle.

Elle se laissa aller sur son siège.

— Je voulais seulement dire que si les gens se mettent à arriver par douzaines dans un appartement aussi petit, eh bien… enfin, vous me comprenez.

Mme Silsburn ne dit rien, et je ne la regardai pas pour voir à quel point elle avait été blessée par la remarque de la dame d'honneur. Mais je me souviens que j'ai été frappé tout particulièrement par le ton que prenait la dame d'honneur pour s'excuser d'avoir parlé ainsi des tantes et des oncles cinglés. Ses excuses avaient été sincères, mais nullement embarrassées ni, chose plus étrange, obséquieuses, et j'eus un instant l'impression que, malgré son indignation et sa colère très certainement forcées, il y avait en elle quelque chose de naturellement mordant, et qui ne laissait pas d'être, à sa manière, assez admirable. (Je reconnais sans la moindre difficulté que mon opinion dans ce cas particulier n'a qu'une valeur très limitée. Je suis toujours attiré par les gens qui ne prennent pas un quart d'heure pour s'excuser d'une chose sans importance.) Le fait est cependant que juste alors, pour la première fois, une petite vaguelette de ressentiment contre le marié défaillant m'assaillait, une petite bouffée blanche de critique à l'égard de son absence inexpliquée.

— Voyons un peu si nous pouvons faire quelque chose, dit le mari de la dame d'honneur.

C'était la voix d'un homme qui garde son sang-froid sous un feu roulant. Je le sentis manœuvrer derrière moi et, brusquement, sa tête apparut dans l'espace étroit laissé libre entre Mme Silsburn et moi.

— Chauffeur, dit-il d'un ton péremptoire – et il attendit une réponse.

Lorsque cette réponse eut jailli avec promptitude, sa voix se fit légèrement plus simple, plus démocratique.

— À votre avis, combien de temps allons-nous rester bloqués ici ?

Le chauffeur se retourna.

— Là, vous me prenez une longueur, m'sieu, dit-il.

Il se tourna de nouveau vers l'avant. Il était absorbé par ce qui se passait au carrefour. Une minute plus tôt, un petit garçon avec un ballon rouge à moitié dégonflé s'était élancé sur la chaussée vide et interdite. Il venait d'être capturé par son père qui le traînait vers le trottoir et lui administrait, à l'instant où je regardai, deux coups de poing – à demi fermés seulement – entre les omoplates. Ce geste fut réprouvé vigoureusement par la foule.

— Avez-vous vu ce que cet homme a fait à l'enfant ? demanda Mme Silsburn à la ronde.

Personne ne lui répondit.

— Et si on demandait au flic combien de temps ça va durer ? dit au chauffeur le mari de la dame d'honneur.

Il était toujours penché en avant et n'était visiblement pas satisfait de la réponse laconique faite par le chauffeur à sa première question.

— Nous sommes tous un peu pressés, vous savez. Pensez-vous que vous pourriez lui demander combien de temps nous risquons d'attendre ici ?

Sans se retourner, le chauffeur haussa les épaules d'un air extrêmement discourtois. Mais il coupa pourtant le contact, sortit de la voiture et claqua brutalement la portière. C'était un homme peu soigné, à l'air courtaud et trapu, vêtu d'un uniforme incomplet : le traditionnel costume de serge bleue des chauffeurs, mais pas de casquette.

Il se dirigea lentement et d'un air très indépendant, pour ne pas dire très insolent, vers le centre du carrefour – à quelques pas seulement de la voiture – là où l'agent de police réglait la circulation d'un air rogue. Les deux hommes conversèrent pendant un temps qui nous parut infini. (J'entendis la dame d'honneur émettre un grognement derrière moi.) Et puis, tout à coup, les deux hommes éclatèrent d'un rire triomphal, un peu comme si, au lieu d'avoir une conversation normale, ils avaient jusque-là échangé des plaisanteries grossières et très brèves. Notre chauffeur, sans cesser de rire comme un fou, fit un signe fraternel à l'agent de police et revint – tout aussi lentement qu'à l'aller – jusqu'à la voiture. Il monta, s'assit en claquant la portière, prit une cigarette dans un paquet posé sur le dessus du tableau de bord ; il plaça délicatement la cigarette entre son oreille et son crâne et alors, alors seulement, il se tourna vers nous pour nous faire son rapport.

— Il n'en sait rien, dit-il. Nous devons attendre que la revue soit passée ici.

Il nous lança un coup d'œil circulaire et définitif et ajouta :

— Après, nous pourrons partir tout de suite.

Il se retourna vers l'avant, prit la cigarette et l'alluma.

À l'arrière, la dame d'honneur fit entendre une plainte de frustration et de contrariété à la fois volumineuse et faible. Ensuite, le silence régna dans la voiture. Pour la première fois en plusieurs minutes, je jetai un coup d'œil au petit homme assez âgé qui avait toujours son cigare éteint. Ce retard ne semblait nullement l'affecter. Son comportement moyen sur le siège arrière d'une voiture – qu'elle soit en mouvement, à l'arrêt, ou même, on ne pouvait s'empêcher d'y penser, en train de franchir le parapet d'un pont et de tomber dans une rivière – son comportement moyen semblait immuable. Il était d'une merveilleuse simplicité. Voici : s'asseoir très droit, en laissant un espace d'une dizaine de centimètres entre le toit de l'auto et celui du chapeau haut de forme et regarder le pare-brise d'un air féroce. Si la mort – qui est tout le temps là à rôder, assise, peut-être, sur le pavillon –, si la mort pénètre par miracle à travers la vitre et entre à vos trousses, selon toute vraisemblance il faut alors se lever et la suivre, furieusement, mais avec un calme apparent. Normalement, on peut emporter son cigare pourvu que ce soit un havane.

— Qu'allons-nous faire ? Rester *assis* ici ? dit la dame d'honneur. J'ai l'impression que je vais mourir de chaleur.

Mme Silsburn et moi nous retournâmes juste à temps pour la voir regarder son mari en face pour la première fois depuis qu'ils étaient montés dans la voiture.

— Est-ce que tu ne pourrais pas te reculer un tout petit peu ? lui dit-elle. J'ai si peu de place que je peux à peine respirer.

Le lieutenant, avec un petit rire de gorge, ouvrit les mains d'un air très expressif.

— Mais je suis presque assis sur le pare-chocs, Bunny ! dit-il.

La dame d'honneur regarda alors, avec un mélange de curiosité et de désapprobation, son autre voisin qui, comme s'il prenait plaisir à me réconforter sans même s'en rendre compte, occupait bien plus d'espace qu'il n'en avait besoin. Il y avait au moins cinq centimètres entre sa hanche droite et la base de l'accoudoir extérieur. La dame d'honneur s'en aperçut visiblement aussi, mais, malgré son agressivité, elle n'avait pas tout à fait les armes requises pour s'attaquer à ce petit personnage d'allure si intimidante. Elle se retourna donc vers son mari :

— Peux-tu attraper tes cigarettes ? dit-elle avec irritation. Je n'ai aucune chance de sortir les miennes, serrée comme je suis.

Sur ces mots, elle tourna la tête pour lancer un regard rapide et chargé de sous-entendus vers le minuscule coupable qui avait occupé l'espace auquel, en toute justice, elle pouvait prétendre. Il restait lointain et sublime. Il ne cessa pas de regarder fixement devant lui vers le pare-brise. La dame d'honneur regarda Mme Silsburn et haussa les sourcils de manière très perceptible. Mme Silsburn y répondit par une expression pleine de compréhension et de sympathie. Le lieutenant, pendant ce temps, avait porté tout son poids sur la jambe gauche, côté vitre, et, de la poche droite de son pantalon d'officier, il avait extrait un paquet de cigarettes et une pochette d'allumettes. Sa femme prit une cigarette et attendit l'allumette enflammée, qui suivit presque immédiatement. Mme Silsburn et moi observâmes l'allumage de la cigarette comme si c'était une nouveauté vaguement ensorcelante.

— Oh ! excusez-moi, dit soudain le lieutenant.

Il tendit son paquet de cigarettes à Mme Silsburn.

— Non, merci, je ne fume pas, répondit-elle aussitôt avec une vague nuance de regret dans la voix.

— Vous fumez, soldat ? dit le lieutenant en me tendant le paquet après une hésitation presque imperceptible.

À vrai dire, son offre me plut beaucoup, j'appréciai énormément cette petite victoire de la politesse courante sur l'esprit de caste, mais je refusai néanmoins son offre.

— Puis-je voir vos allumettes ? dit Mme Silsburn d'une voix extrêmement méfiante, presque d'une voix de petite fille.

— Celles-ci ? dit le lieutenant.

Il tendit aussitôt à Mme Silsburn sa pochette d'allumettes.

Tandis que j'observais moi aussi avec un air absorbé, Mme Silsburn examinait la pochette. Sur la couverture extérieure, en lettres dorées sur un fond rouge sang, on avait imprimé ce qui suit : « Ces allumettes ont été volées chez Bob et Edie Burwick. »

— Charmant, dit Mme Silsburn en secouant la tête, vraiment charmant.

Je tentai de montrer par mon expression que j'étais peut-être incapable de lire l'inscription sans lunettes ; je louchai pour rester neutre. Mme Silsburn semblait hésiter à rendre la pochette à son propriétaire. Elle la lui rendit enfin, le lieutenant la rangea dans la poche intérieure de sa vareuse, et Mme Silsburn dit alors :

— Je crois que c'est la première fois que je vois ça.

Presque complètement retournée sur son strapontin, elle regardait maintenant avec un air affectueux la poche du lieutenant.

— Nous en avons fait imprimer tout un tas comme ça l'année dernière, dit le lieutenant. Vous seriez stupéfaite de voir à quel point ça permet d'avoir toujours des allumettes.

La dame d'honneur se tourna vers lui, ou, plutôt, contre lui.

— Ce n'est pas pour cette raison que nous les avons fait imprimer, dit-elle.

Elle regarda Mme Silsburn d'un air qui signifiait : Vous et moi, nous savons comment sont les hommes ! et elle dit :

— Non, c'est bizarre, mais j'ai trouvé que ça faisait vraiment drôle. Un peu bête peut-être, mais drôle. Vous voyez, hein ?

— C'est charmant. Je crois que je n'avais jamais…

— Oh ! ce n'est pas original du tout. Maintenant, tout le monde en a, dit la dame d'honneur. C'est d'ailleurs les parents de Muriel qui m'en ont donné l'idée les premiers. Ils en avaient toujours chez eux.

Elle avala une bouffée de fumée et, tout en parlant, elle relâcha sa fumée en petits panaches *syllabiques*.

— Mince ! Ce sont des gens formidables. C'est ce qui me dégoûte dans toute cette histoire. Hein, pourquoi ça n'arrive-t-il pas à tous les salauds de ce monde à la place des gens bien ? Ça, vraiment je ne pourrai jamais le comprendre !

Elle regarda Mme Silsburn et attendit d'elle une réponse. Mme Silsburn sourit d'un air à la fois mondain, vague et énigmatique, le sourire, si mes souvenirs ne me trompent pas, d'une espèce de Mona Lisa de strapontin.

— Moi, je me le suis souvent demandé, dit-elle lentement. Et elle ajouta, sur un ton un peu ambigu : La mère de Muriel est la sœur de feu mon mari, vous savez !

— Ah ?... dit la dame d'honneur avec intérêt. Alors, oui, dans ce cas, *vous savez*.

Elle avança un bras gauche d'une longueur extraordinaire et secoua les cendres de sa cigarette dans le cendrier placé près de la vitre de son mari.

— Je pense très sincèrement qu'elle est l'une des très rares personnes réellement exceptionnelles que j'aie rencontrées dans ma vie. Je veux dire qu'elle a lu pratiquement tout ce qui est imprimé. Seigneur !

si seulement j'avais lu le dixième de ce que cette femme a lu et oublié, je ne serais pas à plaindre. Rendez-vous compte : elle a *enseigné*, elle a travaillé dans un journal, elle dessine ses robes elle-même et elle fait absolument tout son travail domestique ! Elle fait la cuisine divinement ! *Divinement*. Seigneur ! Je pense sincèrement que c'est la femme la plus...

— A-t-elle approuvé ce mariage ? dit Mme Silsburn en l'interrompant. Je vous demande ça parce qu'il y a des semaines et des semaines que je suis à Detroit. Ma belle-sœur est morte soudainement et j'ai...

— Oh ! elle est bien trop bonne pour donner son avis, dit la dame d'honneur sans prendre de gants. Elle secoua la tête. Je veux dire qu'elle est trop – enfin, vous voyez, discrète, quoi. Elle réfléchit un instant. À vrai dire, c'est la première fois ce matin que je l'ai entendue s'exprimer avec force sur ce sujet, franchement. Et de toute façon, c'est parce qu'elle était bouleversée de voir sa pauvre Muriel dans cet état.

Elle avança le bras et secoua de nouveau ses cendres.

— Et qu'a-t-elle dit ce matin ? demanda avidement Mme Silsburn.

La dame d'honneur parut réfléchir un instant.

— Oh, pas grand-chose à vrai dire, dit-elle. Rien de mesquin, de méchant, quoi. Non, elle a juste dit que ce Seymour, à son avis, était un homosexuel en sommeil et qu'il avait au fond de lui-même la crainte du mariage. Je veux dire qu'elle n'a pas du tout dit ça sur un ton méchant, non, non. Elle a dit ça, euh... enfin, oui, quoi, intelligemment. Parce que ça fait des années et des années qu'elle va voir régulièrement un psychiatre elle-même, alors elle en connaît long sur la question.

La dame d'honneur regarda Mme Silsburn.

— Ça n'a rien d'un secret, ce que je vous dis. Mme Fedder vous le répétera elle-même, alors c'est vous dire que je ne trahis rien ni personne.

— Oh ! je le sais bien, dit très vite Mme Silsburn, elle est la dernière personne au...

— Ce qui compte dans tout ça, coupa la dame d'honneur, c'est qu'elle est la dernière personne au monde qui dirait des choses pareilles en public sans être sûre de son affaire. Et elle n'aurait jamais dit ça, jamais, jamais, si la pauvre Muriel n'avait pas été si... enfin, oui, quoi, si abattue, hein ? Elle hocha la tête d'un air triste. J'aurais voulu que vous voyiez la tête de la pauvre fille !

Il est évident que je devrais, en cet endroit, interrompre mon récit pour expliquer quelles furent mes réactions aux discours de la dame d'honneur. Cependant, j'aimerais mieux attendre encore un peu, si le lecteur a assez de patience.

— Qu'a-t-elle dit encore ? demanda Mme Silsburn. Je parle de Rhea, bien sûr. A-t-elle dit autre chose ?

Je ne regardai pas Mme Silsburn, car je ne pouvais détacher mes regards de la dame d'honneur – mais j'eus très nettement l'impression, une impression rapide et vive, que Mme Silsburn était quasiment assise sur les genoux de l'oratrice principale.

— Non, non, pas vraiment. Pratiquement rien. – La dame d'honneur réfléchit et hocha la tête. – Je veux dire qu'elle n'aurait rien dit du tout, avec tous ces gens qui l'entouraient, si la pauvre Muriel n'avait été aussi bouleversée. – Elle secoua les cendres de sa cigarette. – L'essentiel de ce qu'elle a dit, c'est que ce Seymour avait une personnalité de schizoïde et que, tout bien pesé, il valait mieux pour Muriel que les choses se terminent de cette façon. Moi, je suis aussi de cet avis, mais je doute que Muriel comprenne cette manière de voir. Il l'a tellement bluffée qu'elle ne sait plus où elle en est. C'est ce qui me rend tellement…

Elle fut alors interrompue. Par moi-même. Il me souvient que ma voix était mal assurée, comme toujours lorsque je suis ému.

— Et qu'est-ce qui a amené Mme Fedder à conclure que Seymour est un homosexuel en puissance et qu'il a une personnalité de schizoïde ?

Tous les yeux – c'étaient des projecteurs me semblait-il –, ceux de la dame d'honneur, de

Mme Silsburn, et même ceux du lieutenant, se braquèrent brusquement sur moi.

— Comment ? dit la dame d'honneur sèchement, avec un soupçon d'hostilité.

J'eus de nouveau l'impression, très fugitivement, qu'elle savait que j'étais le frère de Seymour.

— Pourquoi Mme Fedder pense-t-elle que Seymour est un homosexuel en puissance et qu'il a une personnalité de schizoïde ?

La dame d'honneur me regarda fixement, puis émit un grognement très éloquent. Elle se tourna vers Mme Silsburn et en appela à elle avec toute l'ironie dont elle se sentait capable.

— Diriez-vous qu'on peut être *normal* quand on joue un tour du genre de celui qu'il a joué aujourd'hui ? Elle souleva une rangée de sourcils et attendit. Le diriez-vous ? répéta-t-elle très calmement, *très* calmement. Répondez franchement. Je vous pose cette question très sérieusement. Pour instruire Monsieur.

La réponse de Mme Silsburn fut pleine de bonté et de justice.

— Non, je ne le dirais pas, dit-elle.

J'eus très fortement envie de sauter à terre et de me mettre à courir dans n'importe quelle direction. Mais je me souviens que je n'avais pas décollé de mon strapontin lorsque la dame d'honneur m'adressa la parole.

— Écoutez, me dit-elle du ton faussement patient que prennent parfois les professeurs avec les enfants non seulement retardés, mais qui ont perpétuellement la goutte au nez. J'ignore quelle expérience des hommes vous pouvez avoir. Mais quel homme normal, le soir qui précède son mariage, garde sa fiancée debout toute la nuit pour lui raconter sur tous les tons qu'il est fou de joie à l'idée de se marier et qu'elle va devoir reporter la date du mariage jusqu'à ce qu'il se sente plus sûr de lui, sinon il ne pourra pas venir au mariage ? Et lorsque sa fiancée lui a expliqué comme à un *enfant* que tout est prêt depuis des mois, que son père a fait des dépenses énormes, et qu'il s'est donné un mal de chien pour mettre la réception sur pied, et que ses parents et ses amis arrivent des quatre coins du pays, après qu'elle lui a expliqué tout ça, quel homme normal lui dirait qu'il est vraiment désolé mais qu'il ne peut pas se marier avant de se sentir un peu moins *heureux* ? Hein, je vous le demande ? Réfléchissez donc un peu ! Est-ce que vous jugez cet homme normal ? Est-ce que vous trouvez qu'il peut être dans tout son bon sens ? – Sa voix était maintenant de plus en plus aiguë. – Ou bien pensez-vous que cet homme devrait être enfermé dans une cagoule ?

Elle me considéra avec sévérité et, voyant que je ne répondais pas immédiatement, soit pour me défendre, soit pour l'approuver, elle se laissa aller en arrière sur son siège, lourdement, et dit à son mari :

— Donne-moi encore une cigarette, s'il te plaît. Ce mégot va finir par me brûler les doigts.

Elle lui tendit son mégot brûlant et il l'éteignit pour elle. Il sortit de nouveau son paquet de cigarettes de sa poche.

— Allume-la-moi, s'il te plaît. Je n'en ai pas le courage.

Mme Silsburn toussa pour s'éclaircir la gorge.

— Je pense, dit-elle, que c'est une vraie bénédiction du ciel que tout ait fini par…

— Je vous le demande, dit alors la dame d'honneur avec une vigueur nouvelle, tout en acceptant de son mari une cigarette allumée, trouvez-vous qu'il puisse être normal, que ça puisse être un *homme* normal ? Ou bien pensez-vous soit qu'il n'est jamais devenu *adulte*, soit que c'est un fou très dangereux ?

— Seigneur ! Franchement, je ne sais que dire. Je pense seulement que c'est une vraie bénédiction du ciel que tout…

La dame d'honneur se pencha brusquement en avant, expirant une forte bouffée de fumée par les narines.

— Oui, oui, ne vous occupez pas de ça, n'y pensez plus une petite seconde – ce n'est pas de ça que je parle, dit-elle.

Elle s'adressait à Mme Silsburn, mais, en réalité, c'était à moi qu'elle en avait :

— Avez-vous déjà vu… au cinéma ? dit-elle.

Le nom qu'elle avait prononcé était le nom de théâtre d'une actrice-chanteuse alors très connue – et aujourd'hui en 1955, très célèbre.

— Oui, dit Mme Silsburn très vite et avec beaucoup d'intérêt.

Elle attendit la suite.

La dame d'honneur hocha la tête.

— Bon, dit-elle. Avez-vous remarqué, par hasard, qu'elle a un sourire étrange, déformé ? On dirait qu'elle sourit seulement avec un côté de son visage, et ça se voit très bien quand on...

— *Oui*, oui, je l'ai remarqué ! dit Mme Silsburn.

La dame d'honneur tira une bouffée de sa cigarette et jeta un coup d'œil, à peine perceptible d'ailleurs, dans ma direction.

— Eh bien, il se trouve que c'est dû à une paralysie quelconque, dit-elle en expirant un petit peu de fumée à chaque mot. Et savez-vous comment elle a attrapé ça ? Ce Seymour, dont on nous dit qu'il est *normal*, l'a frappée et on a dû lui mettre neuf agrafes au visage !

Elle avança la main (faute d'indications scéniques meilleures) et secoua les cendres de sa cigarette.

— Puis-je vous demander d'où vous tenez cette histoire ? dis-je.

Mes lèvres tremblaient légèrement, comme deux folles.

— Naturellement, dit-elle en regardant Mme Silsburn. C'est la mère de Muriel qui a justement raconté ça il y a deux heures pendant que sa fille pleurait toutes les larmes de son corps. – Elle me regarda. – Ai-je bien répondu à votre question ?

Elle fit brusquement passer son bouquet de gardénias de sa main droite à sa gauche. C'était jusqu'alors le geste le plus *commun* que je l'eus vu faire – geste de pure nervosité d'ailleurs.

— Uniquement pour votre gouverne, dit-elle alors en me regardant, savez-vous pour qui je vous prends ? Je pense que vous êtes le frère de Seymour !

Elle attendit un tout petit instant et, voyant que je ne répondais pas, elle ajouta :

— Vous lui ressemblez, d'après sa photo, et je sais justement qu'il devait venir au mariage. Sa sœur l'a dit à Muriel.

Elle me regardait sans broncher.

— C'est vous ? dit elle sèchement.

Ma voix dut paraître un peu empruntée lorsque je répondis :

— Oui.

Mon visage était brûlant. Cependant, chose étrange, j'avais le sentiment d'être identifié et j'en éprouvais aussitôt infiniment moins de réconfort que je n'en avais éprouvé depuis ma descente du train.

— Je le savais bien, dit la dame d'honneur. Je ne suis pas stupide, vous savez. J'ai su qui vous étiez dès que vous avez mis le pied dans cette voiture.

Elle se tourna vers son mari.

— Est-ce que je n'ai pas dit qu'il était son frère dès qu'il est monté ? Est-ce que je ne l'ai pas dit ?

Le lieutenant changea légèrement de position.

— Euh… Tu as dit qu'il avait… oui, tu l'as dit, dit-il. Tu l'as dit. Oui.

Il n'était pas besoin de regarder Mme Silsburn pour savoir avec quelle attention elle avait suivi ce nouveau tour pris par notre conversation. Je jetai un coup d'œil à côté d'elle, et derrière elle, furtivement, vers le cinquième passager – le petit homme âgé – pour voir si son insularité était encore intacte. Elle l'était. Jamais l'indifférence de quelqu'un ne m'a paru aussi réconfortante.

La dame d'honneur s'en prit de nouveau à moi.

— Je dois vous dire aussi que je sais pertinemment que votre frère n'est pas du tout pédicure. N'essayez pas de faire le malin. Je *sais* qu'il a été Billy Black à « C'est un enfant avisé » pendant un temps fou.

Brusquement, Mme Silsburn éprouva le besoin de prendre une part plus active à la conversation.

— L'émission, vous voulez dire ?

Je sentis qu'elle me considérait avec un intérêt nouveau et plus vif.

La dame d'honneur ne répondit pas à sa question.

— Lequel étiez-vous, vous ? me dit-elle. *Georgie Black* ?

Le mélange de rudesse et de brutalité dans sa voix était très curieux, pour ne pas dire désarmant.

— Georgie Black, c'était mon frère Walt, dis-je en répondant ainsi seulement à sa seconde question.

Elle se tourna vers Mme Silsburn.

— Théoriquement, c'est une espèce de secret, mais je peux vous dire que cet homme et son frère *Seymour* ont figuré dans cette émission sous un faux nom. Les enfants Black.

— Ne t'énerve pas, mon petit, ne t'énerve pas, suggéra le lieutenant, sur un ton assez inquiet.

Sa femme se tourna vers lui.

— Je m'énerverai si ça me plaît, dit-elle.

Et de nouveau je ressentis un petit pincement d'admiration, malgré toutes mes indications conscientes, à l'égard de sa ténacité.

— Son frère, paraît-il, est d'une intelligence !… dit-elle. Entré à l'université à quatorze ans, et tout le grand numéro ! Eh bien, si ce qu'il a fait aujourd'hui à cette pauvre enfant est intelligent, c'est que je suis le mahatma Gandhi ! Ça m'est égal de dire ce que je pense ! Tout ça me dégoûte tellement !

Juste alors, je ressentis un inconfort plus aigu. Quelqu'un scrutait de très près le côté gauche – le plus faible – de mon visage. C'était Mme Silsburn.

Elle tressaillit un peu lorsque je me tournai tout à coup vers elle.

— Puis-je vous demander si vous étiez Buddy Black ? dit-elle.

Une vague déférence nichée au creux de sa voix me donna à penser, l'espace d'un instant, qu'elle allait m'offrir un stylo et un petit carnet à autographes relié en maroquin. Cette idée, si fugitive qu'elle fût, me mit mal à l'aise, car nous étions en 1942 et l'époque de mon succès commercial datait déjà de dix ans.

— Je vous demande cela, dit-elle, parce que mon mari écoutait cette émission absolument tous les jours que Dieu…

— Si ça vous intéresse, interrompit la dame d'honneur en la regardant, c'est bien la seule émission de radio que j'aie toujours détestée. Je déteste les enfants prodiges. Si jamais j'avais un enfant qui…

La fin de sa phrase n'atteignit pas nos oreilles. Elle fut interrompue brutalement, et sans la moindre équivoque possible, par le *mi* bémol le plus perçant, le plus assourdissant et le plus *impur* que j'aie jamais entendu. Tous les passagers de la voiture, j'en suis sûr, sautèrent en même temps. Au même instant, un orchestre composé d'une centaine de tambours et de clairons (c'étaient des boy-scouts adultes s'entraînant à la vie de marin) passa devant nous. Avec une nonchalance qui semblait presque friser l'irrespect, les musiciens venaient justement d'entamer – au sens propre du terme – l'hymne national. Mme Silsburn, très astucieusement, se boucha les oreilles avec la paume de ses mains.

Pendant quelques secondes, qui parurent une éternité, le bruit fut d'une intensité inouïe. Seule la voix de la dame d'honneur eût pu le couvrir – ou, du moins, s'y fût risquée. Lorsqu'elle s'y risqua, en effet, nous aurions pu croire qu'elle s'adressait à nous au maximum de sa puissance, de très loin, et peut-être même – pourquoi pas ? – des tribunes du Yankee Stadium.

— Je ne peux supporter ça ! dit-elle. Sortons d'ici et tâchons de trouver un téléphone ! Il faut absolument que je téléphone à Muriel pour lui dire que nous avons été retardés ! Elle va être folle de douleur !

En entendant s'approcher les forces du Mal, Mme Silsburn et moi nous étions tournés vers l'avant pour les voir. Nous nous tournâmes alors une fois de plus sur nos strapontins pour faire face au chef. À notre sauveur possible.

— Il y a un restaurant Shrafft dans la 79e Rue ! hurla-t-elle à l'adresse de Mme Silsburn. Allons prendre un soda, comme ça je pourrai téléphoner de là ! Il y aura au moins l'air conditionné !

Mme Silsburn fit un signe d'approbation enthousiaste et mima un « oui » avec sa bouche.

— Venez aussi ! me cria la dame d'honneur.

Avec une spontanéité *très* marquée, je m'en souviens, je lui répondis de toutes mes forces ce mot extravagant : « Magnifique ! » (Même aujourd'hui, je m'explique mal pourquoi la dame d'honneur m'a inclus dans son invitation à quitter le navire. Peut-être a-t-elle été inspirée par le sentiment d'ordre qui est inné chez les vrais chefs ? Peut-être sentait-elle obscurément, mais avec force, la nécessité de sauver *tous* ses passagers ?... Quant à mon acceptation si spontanée et si singulière, elle me semble bien plus facile à expliquer. Je préfère dire ici qu'elle ressortissait à l'instinct religieux le plus fondamental. Dans certains monastères zen, la règle essentielle – sinon la seule discipline réellement appliquée – veut qu'un moine à qui un de ses frères a crié « Bonjour ! » doit lui répondre « Bonjour ! » sans réfléchir.)

La dame d'honneur se tourna alors pour la première fois vers le petit vieillard assis près d'elle. Je me jurai de lui être éternellement reconnaissant d'avoir continué à regarder droit devant lui, comme si son paysage intérieur n'avait pas changé le moins du monde. Il tenait toujours serré entre deux doigts le havane qu'il n'avait pas allumé. Le voyant apparemment inconscient du vacarme effrayant provoqué par l'orchestre et se disant peut-être vaguement que tous les vieillards âgés de plus de quatre-vingts ans étaient soit durs d'oreille, soit incapables de sensibilité musicale, la dame d'honneur approcha ses lèvres à deux ou trois centimètres seulement de l'oreille gauche du vieillard.

— Nous allons descendre de cette voiture ! lui cria-t-elle, presque comme une menace. Nous allons chercher un endroit d'où l'on puisse téléphoner et peut-être se rafraîchir un peu ! Voulez-vous nous accompagner ?

La réaction immédiate du vieillard fut presque magnifique. Il regarda d'abord la dame d'honneur, puis nous tous, et il fit un sourire. Son sourire avait beau n'avoir aucun sens particulier, il n'en était pas moins resplendissant. Ses dents, visiblement, magnifiquement, transcendantalement fausses, n'y changeaient rien non plus. Il regarda la dame d'honneur avec un petit air interrogateur, l'espace d'une seconde, mais son sourire resta parfaitement intact. Ou bien pour être plus précis, disons qu'il tourna les yeux vers elle avec un air joyeux, un peu comme si, pensai-je alors, il croyait que la dame d'honneur ou l'un d'entre nous se préparait à lui faire passer un panier-repas.

— Je ne crois pas qu'il t'ait entendue, ma chérie ! dit le lieutenant très haut.

La dame d'honneur fit un signe d'assentiment et approcha davantage le mégaphone de sa bouche de l'oreille du vieillard. Avec un volume sonore réellement remarquable, elle répéta au vieillard son invitation à sortir avec nous de la voiture. Cette fois encore, à en juger par sa mine, le vieillard se montra plus qu'ouvert à toutes les suggestions imaginables – fût-ce même de s'en aller en trottinant prendre un bain dans l'East River. Mais cette fois encore, hélas, on sentait, avec une gêne croissante, qu'il n'avait rien entendu. Il prouva d'ailleurs avec brutalité que nous avions raison. Il adressa un immense sourire à la ronde, leva la main qui tenait le cigare et, d'un doigt, il tapota d'abord sa bouche, puis son oreille. Ce geste, tel du moins qu'il l'accomplissait, semblait faire allusion à une plaisanterie vraiment drôle et qu'il tentait ainsi de nous communiquer.

À cet instant, Mme Silsburn, près de moi, fit un geste – presque un saut, même – de compréhension. Elle toucha le bras de satin rose de la dame d'honneur, et elle s'écria :

— Je le connais ! C'est un sourd-muet ! C'est l'oncle du père de Muriel !

Les lèvres de la dame d'honneur esquissèrent un « Oh ! » prolongé. Elle pivota brutalement vers son mari et lui cria sans ménagement :

— Tu as du papier et un stylo ?

Je lui touchai le bras et lui criai à mon tour que j'avais du papier et un stylo, moi. Très vite, un peu comme si j'avais craint que le temps ne nous fît défaut, je pris dans ma poche intérieure un petit bloc et un bout de crayon que j'avais récemment « acquis » dans le tiroir du bureau (salle des ordonnances) à Fort Benning.

De manière presque trop lisible, j'écrivis sur une feuille : « Nous sommes retenus par le défilé pour très longtemps. Nous allons partir à la recherche d'un téléphone et d'une boisson fraîche. Venez-vous avec nous ? » Je pliai le papier en deux, le tendis à la dame d'honneur qui l'ouvrit, le lut, et le passa au petit vieillard. Il le lut, sourit, me regarda et fit plusieurs signes de tête véhéments. Je crus un instant que c'était là l'essentiel de sa réponse – réponse d'ailleurs complète et claire – mais il me fit signe de la main et je compris qu'il me demandait de lui donner mon bloc et mon crayon. Je le fis, sans regarder en direction de la dame d'honneur, de qui commençaient à s'élever dans l'atmosphère de grandes ondes d'impatience. Le vieillard posa avec beaucoup de soin le papier et le crayon sur ses genoux, resta un instant immobile, le crayon en équilibre au bout de ses doigts ; il avait un air très réfléchi, mais son sourire était à peine moins accentué. Enfin, le crayon se mit à courir sur le papier, mais d'une écriture très tremblée. Il mit un point sur un « i », puis il me rendit le tout, personnellement, en y ajoutant un signe de tête d'une extrême cordialité. Il avait écrit un seul mot : « Ravi. » La dame d'honneur, lisant par-dessus mon épaule, émit un son qui ressemblait vaguement à un grognement, mais je regardai aussitôt le grand écrivain et tentai de lui témoigner, par mon expression, que nous savions tous reconnaître un poème quand nous avions la chance d'en lire un, et que nous lui en étions reconnaissants.

Un par un, par les deux portières, nous sortîmes de la voiture, nous abandonnâmes le navire, pour ainsi dire, au milieu de Madison Avenue, dans une mer de macadam gluant et brûlant. Le lieutenant s'attarda quelque peu pour informer le chauffeur de notre mutinerie collective. Je me souviens très nettement que le défilé était loin d'être terminé et que le fracas des instruments n'avait nullement diminué.

La dame d'honneur et Mme Silsburn nous ouvraient la route vers le restaurant Shrafft. Elles marchaient côte à côte, comme une véritable avant-garde, en direction du sud, sur le trottoir est de Madison Avenue. Le lieutenant, lorsqu'il eut achevé son exposé devant le chauffeur, les rattrapa très vite. Ou, du moins, il resta légèrement derrière elles, pour pouvoir tirer son portefeuille de sa poche sans être dérangé et regarder, me semble-t-il, combien d'argent il lui restait.

L'oncle du père de la mariée et moi formions l'arrière-garde. Soit parce qu'il avait senti que j'étais son ami, soit, plus simplement, parce que j'étais le propriétaire du papier et du crayon, il avait trottiné pour se mettre à ma hauteur plus que par hasard. Le haut de son haut-de-forme en soie atteignait à peine la hauteur de mon épaule. Je m'efforçai de prendre une allure relativement lente, par égard à la longueur de ses jambes. Au premier croisement, nous nous aperçûmes que les autres nous avaient nettement distancés déjà. Je ne crois pas que ce fait nous gêna beaucoup. De temps en temps, il m'en souvient, mon ami et moi nous regardions tout en marchant et échangions de stupides expressions de joie pour témoigner notre plaisir d'être ensemble.

Lorsque mon compagnon et moi atteignîmes la porte tournante du restaurant Shrafft de la 79e Rue, la dame d'honneur, son mari, et Mme Silsburn s'y trouvaient déjà depuis quelques minutes. Ils nous attendaient, me dis-je, en formant un groupe compact et peu engageant. Ils parlaient, mais s'interrompirent lorsque notre petit groupe si mal assorti arriva. Dans la voiture, quelques minutes plus tôt, quand la fanfare nous assourdissait tous, un commun inconfort, presque une angoisse commune, avait donné à notre groupe une apparence d'unité, du genre de celle qui s'installe dans un groupe de touristes de l'agence Cook lorsqu'ils sont pris dans un très gros orage à Pompéi. Maintenant, il était clair – trop clair – que l'orage était fini. La dame d'honneur et moi échangeâmes un regard qui signifiait : « Je vous reconnais », et non pas, « Je vous salue ».

— La maison est fermée pendant les travaux, dit-elle froidement en me regardant.

Sans le dire en face, mais en le faisant comprendre clairement, elle m'avait une fois encore rendu responsable de tous ses ennuis, et à cet instant, sans raison qui vaille la peine d'être expliquée, j'éprouvai un sentiment d'isolement et de solitude que je n'avais guère ressenti dans la journée. Presque en même temps – la coïncidence mérite qu'on la souligne – ma toux reprit. Je sortis mon mouchoir de la poche arrière de mon pantalon. La dame d'honneur se tourna vers Mme Silsburn et son mari :

— Il doit y avoir un Longchamp quelque part dans ce quartier, dit-elle, mais je ne sais pas exactement où.

— Moi non plus, répondit Mme Silsburn.

Elle semblait au bord des larmes. Sur son front et sur sa lèvre supérieure, la transpiration avait réussi à percer une couche de fard pourtant épaisse. Elle tenait sous le bras gauche un sac à main en cuir noir verni. Elle le tenait serré comme une poupée adorée et je me dis qu'elle ressemblait elle-même à une enfant qui faisait une fugue et qui, dans ces circonstances, s'était mis du rouge et de la poudre.

— Nous ne trouverons pas de taxi dans ce coin, dit le lieutenant avec pessimisme.

Lui aussi semblait particulièrement éprouvé par ces contretemps. Sa casquette de pilote paraissait cruellement incongrue sur son visage pâle, baigné de transpiration et si profondément dépourvu d'intrépidité ; j'eus même, je m'en souviens, envie de la lui arracher, ou du moins de l'ajuster un peu, de la redresser – envie que l'on ressent souvent, dans les goûters d'enfants, où l'on trouve toujours un petit garçon très laid surmonté d'un chapeau en papier qui lui masque au moins une oreille.

— Seigneur ! Quelle journée ! dit la dame d'honneur pour résumer l'impression générale.

Son diadème de fleurs artificielles était quelque peu de biais maintenant, et elle était baignée de sueur elle aussi, mais je me dis en la regardant que la seule chose qui, chez elle, en elle, autour d'elle, fût réellement corruptible, c'était son attribut le plus lointain, pour ainsi dire, son bouquet de gardénias. Elle le tenait toujours à la main, mais avec un air parfaitement distrait. Visiblement, il n'avait pas résisté.

— Qu'allons-nous faire ? demanda-t-elle sur un ton qui, pour elle, était un peu trop inquiet. On ne peut tout de même pas y aller à pied ! Muriel et ses parents habitent presque à Riverdale ! Quelqu'un a-t-il une idée brillante ?

Elle regarda d'abord Mme Silsburn, puis son mari, et enfin, sans doute par désespoir, elle se tourna vers moi.

— J'ai un appartement pas loin d'ici, dis-je brusquement, d'un ton anxieux. En réalité, il est vraiment très près d'ici.

Il me sembla que j'avais donné ce renseignement un peu trop haut. Peut-être l'avais-je crié. Je ne saurais le dire.

— Oui, il appartient à mon frère et à moi. C'est ma sœur qui l'utilise pendant que nous sommes militaires, mais elle n'y est pas en ce moment. Elle est dans les services auxiliaires féminins et elle est quelque part en tournée d'inspection.

Je regardai la dame d'honneur – ou, plutôt, un point situé juste au-dessus de sa tête.

— Vous pourrez toujours téléphoner de chez moi si vous en avez envie, dis-je. Et il y a l'air conditionné. Nous pourrions nous rafraîchir une seconde et reprendre haleine.

Lorsque le premier choc de cette invitation fut passé, la dame d'honneur, Mme Silsburn et le lieutenant entamèrent une consultation muette, mais rien n'indiquait qu'un verdict quelconque fût sur le point d'être prononcé. C'est la dame d'honneur qui agit la première. Elle avait considéré – en vain – les deux autres en espérant recueillir leur opinion. Déçue, elle se tourna vers moi et me dit :

— Vous avez bien dit que vous aviez le téléphone ?

— Oui. À moins que ma sœur ne l'ait fait débrancher, mais ça m'étonnerait.

— Et comment savons-nous si votre *frère* n'y sera pas ? dit la dame d'honneur.

Ce petit détail avait échappé à mon esprit surchauffé.

— Je ne crois pas qu'il y sera, dis-je. Il en aurait le droit, bien sûr, parce que c'est son appartement, mais je ne crois pas. Non, je ne crois pas.

La dame d'honneur me regarda fixement, sans se gêner, pendant quelques instants ; son regard, cependant, n'était pas insolent ni grossier. C'était un regard d'enfant. Puis elle se retourna vers Mme Silsburn et son mari, et dit :

— Nous pourrions accepter, je crois. Parce que nous pourrons au moins téléphoner.

Ils firent un signe d'assentiment. Mme Silsburn alla même jusqu'à se souvenir de ce que prescrivait l'étiquette en cas d'invitation lancée devant un restaurant Shrafft. À travers son maquillage qui lui donnait un teint hâlé, elle m'adressa un sourire de journaliste mondain, ou, du moins, le spectre de ce sourire. Je lui en fus pourtant très reconnaissant.

— Bon, partons tout de suite, alors, sortons-nous de ce soleil, déclara notre chef. Mais qu'est-ce que je vais faire de ça ? ajouta-t-elle.

Sans attendre une réponse, elle fit un pas vers la bordure du trottoir et se débarrassa sans l'ombre d'un regret de son bouquet de gardénias fanés.

— Bon. Conduisez-nous, me dit-elle. Nous vous suivons. Tout ce que je peux vous dire, c'est qu'il vaut mieux que ce salopard ne soit pas là quand nous arriverons, parce que je le tuerai de mes mains.

Elle regarda Mme Silsburn et dit :

— Pardonnez-moi ma brutalité, mais... je ne plaisante nullement.

Ainsi commandé, je pris la tête du petit groupe, presque joyeusement. Un instant plus tard, un chapeau de soie prit forme à mes côtés, très bas au-dessous de moi, à ma gauche, et mon garde du corps – il s'était nommé d'office à cet emploi – me fit un sourire heureux. Je crus même qu'il allait glisser sa main dans la mienne.

Mes trois hôtes et mon ami m'attendirent dans le couloir pendant que je visitais brièvement l'appartement.

Toutes les fenêtres étaient fermées, les deux appareils à air conditionné étaient sur la position « fermé », et la première bouffée que l'on respirait dans l'appartement faisait penser à l'odeur d'une poche d'un vieux manteau en raton laveur. On entendait seulement le ronflement incertain du vieux réfrigérateur que Seymour et moi avions acheté d'occasion. Ma sœur Boo Boo, comme un marin insouciant, l'avait laissé en marche. Dans tout l'appartement, de menus détails indiquaient qu'une dame de la race des grands navigateurs avait pris possession des lieux. Une veste bleu marine de petite taille, mais très jolie – veste d'aspirant, je dois le souligner – avait été jetée, doublure par-dessous, sur le lit. Une boîte de bonbons Louis Sherry, à moitié vide, et dont les bonbons restants avaient été manifestement pressés par des doigts curieux d'apprécier leur contenu, était posée, ouverte, sur la table à dessert, devant le divan. Sur le bureau trônait la photo encadrée d'un jeune homme à l'air très décidé, que je n'avais jamais vu auparavant. Quant à tous les cendriers en vue, ils étaient en pleine floraison avec des mouchoirs en cellulose froissés et des mégots tachés de rouge à lèvres. Je n'allai pas dans la cuisine, dans la chambre et la salle de bains ; je me contentai d'en ouvrir les portes et d'y jeter un bref coup d'œil pour voir si Seymour ne s'y trouvait pas. Je me sentais privé de réactions, rempli de parcssc. Mais j'avais à faire. Il fallait ouvrir les stores, brancher les appareils à air conditionné, vider les cendriers. Les autres membres de notre petit groupe se jetèrent sur moi presque immédiatement.

— Il fait plus chaud ici que dans la rue, dit la dame d'honneur en entrant.

C'était sa manière de me remercier.

— Je vous rejoins dans une minute, dis-je. Je n'arrive pas à brancher l'air conditionné.

Il me semblait, en effet, que le bouton d'allumage était grippé. Je m'acharnai à le faire tourner.

Tandis que je m'occupais ainsi – j'avais gardé mon calot, je m'en souviens –, les autres faisaient le tour de la pièce, l'air très méfiant. Je les observais du coin de l'œil. Le lieutenant alla se planter devant le bureau et considéra longuement les deux ou trois pieds carrés de mur qui le surplombaient et sur lesquels mon frère et moi, pour des raisons sentimentales nettement affirmées, avions épinglé un grand nombre de photographies petit format. Mme Silsburn s'assit – c'était inévitable, me dis-je aussitôt – dans le fauteuil que feu mon fox-terrier aimait utiliser comme lit ; ses bras, recouverts d'un tissu de velours sale, avaient été mastiqués et grattés bien des fois pendant des heures de cauchemar. L'oncle du père de la candidate au mariage – mon ami intime – avait apparemment disparu pour de bon. La dame d'honneur, elle aussi, s'évanouit à ma vue.

— Je vais vous apporter quelque chose à boire dans une petite seconde, dis-je d'une voix mal assurée tout en essayant toujours d'allumer l'air conditionné.

— Un verre de quelque chose de frais me ferait du bien, dit près de moi une voix très familière.

Je me retournai complètement et vis qu'elle s'était allongée sur le divan, ce qui expliquait sa très remarquable disparition verticale.

— Je vais téléphoner dans une seconde, me prévint-elle. De toute façon, dans l'état où je suis, je ne pourrais jamais arriver à ouvrir la bouche pour téléphoner. Je suis à sec, ma langue est sèche comme un caillou !

Brusquement, l'air conditionné se mit en marche avec un ronflement agréable, et je vins me planter au centre de la pièce, dans l'espace compris entre le divan et le fauteuil qu'occupait Mme Silsburn.

— Je ne sais pas ce qu'il y a à boire, dis-je. Je n'ai pas encore ouvert le réfrigérateur, mais je pense…

— Apportez n'importe quoi, interrompit l'éternelle bavarde et porte-parole allongée sur le divan. Mais que ce soit quelque chose d'humide. Et de froid !

Les talons de ses chaussures étaient posés sur les manches de la veste de ma sœur. Elle avait replié les bras sur la poitrine. Sous sa tête, elle avait placé un oreiller.

— Et mettez-y de la glace si vous en avez, ajouta-t-elle encore en fermant les yeux.

Je la regardai un instant, d'un regard de meurtrier, puis je me penchai et, avec tout le tact dont j'étais capable, je retirai de dessous son pied la veste de Boo Boo. J'allais sortir de la pièce et commencer à remplir mes devoirs d'hôte lorsque le lieutenant, au premier pas que je fis, m'interrompit en disant de derrière le bureau :

— Où avez-vous déniché toutes ces photos ?

Je me rendis aussitôt auprès de lui. Je portais toujours mon calot trop grand. L'idée de l'enlever ne m'était pas venue. Je restai près de lui – juste un peu en arrière du bureau – pour regarder les photos épinglées au mur. Je lui dis que c'étaient presque toutes des photos d'enfants qui avaient, du temps où Seymour et moi y figurions, passé à l'émission « C'est un enfant avisé ».

Le lieutenant se tourna vers moi.

— Qu'est-ce que c'était ? me dit-il. Je ne l'ai jamais écoutée. Un jeu radiophonique pour enfants ? Avec des questions et des réponses, quoi ?

Il n'y avait pas à s'y tromper, un soupçon de ton de commandement avait percé dans sa voix. Discrètement, mais insidieusement. En même temps, il semblait considérer mon calot avec mépris.

J'ôtai mon calot et lui dis :

— Non, pas exactement – ma voix se chargea brusquement d'une vague fierté familiale –, c'était avant que mon frère Seymour y passe. Et, après son départ, ça a recommencé. Mais du temps qu'il y était, tout avait changé. Il avait transformé l'émission en une espèce de table ronde pour enfants.

Le lieutenant me regarda avec ce que je pris pour un intérêt quelque peu excessif.

— Et vous y êtes passé vous aussi ?

— Oui.

De l'autre partie de la pièce, des bas-fonds invisibles et poussiéreux du divan, la dame d'honneur parla.

— Je voudrais bien voir un de mes enfants à moi passer dans une émission pareille, ou bien jouer au théâtre ! Un truc comme ça ! Je préférerais crever plutôt que de laisser un de mes gosses se transformer en exhibitionniste comme ça. Ça les change pour toute la vie. Hein, et la publicité et tout ça, pour ne pas parler du reste... Demandez à un psychiatre ce qu'il en pense, vous verrez. Hein, comment est-ce qu'on pourrait avoir une enfance normale après ça ?

Sa tête, couronnée d'un diadème de fleurs désormais tout de guingois, émergea soudain sous nos yeux. Elle semblait privée de corps et on avait l'impression qu'elle était perchée sur le rebord du divan et faisait face au lieutenant et à moi.

— C'est sûrement ça qui explique la conduite de votre espèce de frère, dit la tête. Forcément, quand on passe une enfance aussi complètement déréglée, on ne devient jamais adulte. On n'apprend jamais à se conduire normalement avec les autres. C'est exactement ce que Mme Fedder disait dans sa chambre à coucher il y a quelques heures. Mot pour mot. Votre frère n'a jamais appris à se conduire normalement avec les autres. Il est tout juste capable d'envoyer des coups et des gifles aux gens, et de les obliger à se faire mettre des agrafes. Il est absolument inapte au mariage ou à toute vie normale. *Absolument !* Non, vraiment, quand je pense... D'ailleurs, c'est exactement ce que Mme Fedder a dit ! Exactement !

La tête se tourna juste assez pour considérer sévèrement le lieutenant.

— Est-ce que je dis la vérité, Bob ? Elle a dit ça ou elle ne l'a pas dit ? Dis-le lui !

Mais ce ne fut pas le lieutenant qui parla juste après. Ce fut moi. J'avais la bouche sèche et le bas du dos trempé de sueur. Je dis que je me foutais pas mal de ce que Mme Fedder pouvait bien penser de Seymour. Ni de tout ce que toutes les garces de la terre, professionnelles ou amateurs, pouvaient bien en dire. Je déclarai que, depuis que Seymour avait eu ses dix ans, tous les penseurs et tous les gardiens de pissotières à prétentions intellectuelles des États-Unis s'étaient jetés sur lui comme la pauvreté sur le monde. Les choses auraient pu être différentes si Seymour n'avait été qu'un petit pédant qui n'aspirait qu'à étaler son intelligence. Jamais il n'avait été le moins du monde exhibitionniste, dis-je avec force. Il partait pour l'enregistrement tous les mercredis soir comme s'il allait à son propre enterrement. Dans le bus ou le métro, il ne desserrait pas les dents de tout le trajet. Pas un seul journaliste, pas un seul des couillons de critiques qui s'étaient occupés de lui ne l'avaient jugé sainement ni pris pour ce qu'il était : un *poète*, un vrai, un pur. Il n'avait peut-être jamais écrit un seul vers de sa vie, mais quand il avait quelque chose à dire, ça venait de loin.

Et je m'arrêtai là, grâce à Dieu. Mon cœur battait follement et, comme tous les hypocondriaques, je me dis brusquement, l'espace d'un instant, avec une terreur panique, que les crises cardiaques arrivaient souvent après des discours passionnés. J'ignore encore aujourd'hui comment mes hôtes réagirent à ma sortie, à ce petit flot d'invectives polluées que j'avais déversé sur eux. Le premier détail du monde extérieur dont j'eus soudain conscience, ce fut un bruit de plomberie, un bruit familier. Il provenait d'une autre partie de l'appartement. Je regardai autour de moi, au-delà des visages de mes hôtes, derrière eux.

— Où est le vieux monsieur ? dis-je. Le petit vieux monsieur ?

Une noix de beurre n'aurait pu fondre dans ma bouche à cet instant.

Chose étrange, au bout d'un bref silence, ce fut le lieutenant qui répondit et non sa femme.

— Je crois qu'il est dans la salle de bains, dit-il.

Il avait prononcé ces mots avec une vigueur toute particulière, qui montrait bien qu'il était, lui, de ceux qui appellent un chat, un chat.

— Ah…, dis-je.

Je regardai de nouveau autour de moi d'un air distrait. Volontairement, peut-être, j'évitai de rencontrer le regard terrible de la dame d'honneur. Je n'en ai plus le souvenir. Je remarquai le haut-de-forme brillant de l'oncle du père de Muriel ; il était posé sur une chaise à dossier droit, en face de moi. J'eus envie de lui dire, à ce chapeau, « Bonjour ! », très fort.

— Je vais chercher des boissons fraîches, dis-je. Je reviens dans une minute.

— Puis-je téléphoner ? me dit la dame d'honneur quand je passai devant le divan.

Elle fit pivoter ses jambes, et ses pieds touchèrent le sol.

— Oui..., mais oui, bien sûr, répondis-je. Je regardai Mme Silsburn et le lieutenant. J'ai envie de faire des Tom Collins[1] si je trouve des citrons. Est-ce que cela vous ira ?

La soudaine cordialité du ton du lieutenant me surprit.

— Apportez-les vite, dit-il en se frottant les mains comme un buveur entraîné et jovial.

Mme Silsburn cessa de regarder les photos pour me dire :

— Si vous faites des Tom Collins, ne mettez qu'une goutte minuscule de gin dans le mien, s'il vous plaît. Un rien, si cela ne vous dérange pas.

Elle commençait à paraître nettement plus en forme, et, pourtant, nous n'étions ici que depuis quelques minutes. Peut-être était-ce dû au fait qu'elle se tenait debout devant l'appareil à air conditionné et qu'un peu d'air frais arrivait directement sur elle. Je lui dis que j'allais préparer son verre avec beaucoup de soin et la laissai au milieu des gloires radiophoniques fanées de la fin des années vingt et du début des années trente, de tous les visages passés que Seymour et moi avions eus dans notre enfance. En mon absence, le lieu-

1. Cocktail composé de gin, de citron, de sucre et d'eau gazeuse. (*N.d.T.*)

tenant me semblait tout à fait capable de se débrouiller tout seul. Il s'en allait déjà, les bras croisés dans le dos, vers la bibliothèque. La dame d'honneur me suivit hors de la pièce, tout en bâillant – d'un bâillement caverneux, très audible, et qu'elle ne fit aucun effort pour étouffer ni pour rendre moins visible.

Tandis que la dame d'honneur me suivait vers la chambre à coucher, là où se trouvait le téléphone, l'oncle du père de la fiancée apparut à l'extrémité du couloir. Son visage témoignait du même calme étrange qui m'avait induit en erreur dans la voiture, mais à mesure qu'il s'approchait de nous, son masque se transformait. Il nous fit d'immenses salutations et je m'aperçus que je lui rendais ses sourires et ses courbettes sans la moindre retenue. Ses rares cheveux blancs semblaient fraîchement peignés et même fraîchement lavés, et on avait l'impression qu'il avait découvert une petite boutique de coiffeur pour nains, dissimulée à l'autre bout de l'appartement. Lorsqu'il nous eut croisés, je me sentis obligé de regarder pardessus mon épaule et, aussitôt, je le vis m'adresser un grand signe de la main, un grand signe d'adieu de quai de gare qui semblait signifier : « Revenez vite ! » Cela me réconfortera énormément.

— Qu'est-ce qu'il a ? Il est fou ? dit la dame d'honneur.

Je répondis que je l'espérais bien et lui ouvris la porte de la chambre.

Elle se laissa tomber lourdement sur l'un des deux lits jumeaux, sur celui de Seymour, pour être précis. Le téléphone était sur la table de nuit, à portée de sa main. Je lui dis que j'allais lui apporter tout de suite à boire.

— Non, ne vous dérangez pas… Je sors dans une minute, dit-elle. Fermez la porte, si vous voulez bien… Excusez-moi, c'est parce que je n'arrive pas à parler au téléphone avec une porte ouverte.

Je lui dis que j'étais exactement comme elle et fis un pas vers la porte. Mais à l'instant où je sortais de l'espace compris entre les deux lits, je remarquai une petite valise de toile posée sur l'appui de la fenêtre. Au premier coup d'œil, je crus que c'était la mienne, et qu'elle était venue miraculeusement de la gare jusqu'à l'appartement, sous l'effet de sa propre énergie. En réfléchissant, je me dis qu'elle appartenait à Boo Boo. Je me dirigeai vers elle. La fermeture Éclair était défaite et un simple coup d'œil à la couche supérieure me donna le nom du propriétaire. Un second regard, plus curieux, plus appuyé, me montra un objet posé sur deux chemises propres, un objet que, me sembla-t-il, je ne devais sous aucun prétexte laisser dans la pièce en présence de la dame d'honneur. Je le pris, le glissai sous mon bras, fis un signe fraternel à la dame d'honneur qui avait déjà glissé un doigt dans le cadran du téléphone et attendait que je sorte pour composer son numéro. Je fermai la porte derrière moi.

Je restai quelques instants, indécis, devant la porte de la chambre dans la solitude gracieuse du couloir, me demandant ce qu'il convenait de faire du carnet de Seymour – son journal intime. Je devrais m'empresser de dire que c'était là l'objet que j'avais pris dans la petite valise de toile. Ma première pensée fut de le cacher jusqu'au départ de mes invités. L'idée me vint alors de l'emporter dans la salle de bains et de le glisser dans le coffre à linge. Pourtant, après une réflexion, assez longue et très compliquée, je décidai de l'emporter dans la salle de bains, d'en lire quelques pages, *puis* de le glisser dans le coffre à linge.

C'était, le ciel m'en est témoin, une journée remplie non seulement de signes et de symboles, mais consacrée aussi à une communication dense et puissante par le biais de l'écrit. Il suffisait de sauter dans une voiture bondée pour que le destin se donne la peine, après bien des détours, de vous munir d'un carnet et d'un crayon, au cas où l'un de vos compagnons serait sourd-muet. En se glissant dans une salle de bains, on était bien avisé de lever les yeux pour chercher un message, même vaguement apocalyptique, un message placé très haut au-dessus du lavabo.

Pendant des années, les sept enfants de notre famille où il n'y avait qu'une salle de bains, gardèrent l'habitude peut-être pénible, mais en tout cas très commode, de se laisser des messages écrits sur la glace de l'armoire à pharmacie avec un bout de savon humide. Le thème habituel de ces messages allait des admonestations les plus sévères aux menaces non déguisées. « Boo Boo, ramasse ton gant de toilette quand tu as fini. Ne le laisse pas par terre. Baisers. Seymour. » « Walt, c'est à ton tour d'emmener Z. et F. au jardin public. Je l'ai fait hier. Signé illisible. » « C'est mercredi leur anniversaire. N'allez pas au cinéma, ne traînez pas au studio après l'émission, ou bien vous aurez un gage. Ça vaut pour toi aussi, Buddy. » « Maman dit que Zooey a failli avaler le Fennelax. Ne laissez pas de médicaments dangereux à sa portée sur l'évier. » Ce sont là, naturellement, des échantillons de notre enfance, mais bien des années plus tard, lorsque, au nom de l'indépendance, Seymour et moi fondâmes une succursale en louant un appartement indépendant nous n'abandonnâmes que nominalement les coutumes familiales. Autrement dit, nous conservâmes précieusement nos vieux bouts de savon.

Lorsque j'entrai dans la salle de bains, le carnet de Seymour toujours sous le bras, je refermai soigneusement la porte derrière moi et repérai presque aussitôt un message. Il n'était pas de la main de Seymour, mais, très distinctement, de celle de ma sœur Boo Boo. Avec ou sans savon, son écriture était toujours d'une petitesse extravagante et presque indéchiffrable, et elle avait réussi très facilement à caser ce message pourtant long sur le miroir : « Dressez très haut la poutre maîtresse, charpentiers. L'époux, comme Arès, s'approche, et il est de plus haute taille que le plus grand d'entre les hommes. Amitiés, Irving Sappho, autrefois auteur sous contrat de scénarios pour Elyseum Studios Ltd. S'il te plaît, sois heureux, heureux, heureux, avec ta belle Muriel. C'est un ordre formel : je suis le plus haut gradé dans tout l'immeuble. » L'auteur sous contrat mentionné dans ce message a toujours été, je dois le souligner ici, le favori (à des intervalles convenablement choisis) de tous les enfants de notre famille, et c'était dû en grande partie à l'influence considérable des goûts poétiques de Seymour sur nous tous. Je lus plusieurs fois le message de Boo Boo, puis je m'assis sur le rebord du tub et j'ouvris le carnet de Seymour.

Ce qui suit est la reproduction exacte des pages du carnet de Seymour que je pus lire dans la salle de bains. Il me semble très normal, dans ce cas, d'omettre les dates exactes. Il suffira de dire, je pense, que ces notes ont été prises pendant que Seymour était basé à Fort Monmouth, à la fin de 1941, et au début de 1942, plusieurs mois avant que ne fût fixée la date définitive du mariage.

« Il faisait un froid terrible pendant le rapport ce soir, et pourtant six hommes seulement de notre compagnie se sont évanouis pendant l'interminable hymne national. Je suppose qu'il est impossible à un homme dont la circulation sanguine est normale de prendre une attitude de garde-à-vous perpétuel. Surtout s'il doit encore tenir dressé en l'air un fusil énorme au moment du "Présentez armes !" Moi, je n'ai ni problème de circulation ni même de pouls. L'immobilité me convient parfaitement. Le rythme de notre hymne national est en parfaite harmonie avec moi. Il me donne l'impression d'écouter une valse romantique.

« Nous avons eu des permissions de minuit après le rapport. J'ai rencontré Muriel à l'hôtel Biltmore à 7 heures. Deux verres, deux sandwiches aux miettes de thon dans un drugstore, un film qu'elle avait envie de voir – un film avec Greer Carson. Je l'ai observée plusieurs fois dans l'obscurité lorsque l'avion de Greer Carson, pendant une bataille, disparaissait de l'écran. Sa bouche était ouverte. Elle était captivée, inquiète. Identification complète avec la tragédie de la Metro-Goldwyn-Mayer. J'ai ressenti en même temps du bonheur et une grande épouvante. Comme j'aime son cœur si peu porté aux distinctions et comme j'en ai besoin ! Elle m'a regardé quand les gosses, dans le film, ont apporté le chaton pour le montrer à leur mère. Muriel aimait ce chaton et elle souhaitait que je l'aime aussi. Même dans l'obscurité, je sentais qu'elle éprouvait, comme d'habitude, la distance qui nous sépare lorsque je n'aime pas d'instinct quelque chose qu'elle aime. Plus tard, lorsque nous prenions un verre à la gare, elle m'a demandé si je n'avais pas pensé que ce chaton était plutôt gentil. Elle n'emploie plus jamais le mot "sensationnel". Quand donc l'ai-je effrayée au point de lui faire changer de vocabulaire ? En cuistre que je suis, je lui ai cité la définition que Blyth (R. H. Blyth) donne de la sentimentalité : nous sommes sentimentaux lorsque nous accordons plus de tendresse à une chose que Dieu ne lui en accorde. Je lui ai dit (sentencieusement ?) que Dieu, sans nul doute, aime les chatons, mais certainement pas, selon toute vraisemblance, ceux qu'on a affublés de bottillons en technicolor. Non, Dieu abandonne ces détails de création pure aux auteurs de scénarios. M. a réfléchi longuement là-dessus, a paru de mon avis, mais n'a pas semblé apprécier cette nouvelle "connaissance". Elle s'est intéressée à son verre qu'elle a agité longuement, en paraissant très loin de moi. Elle se fait du souci parce que son amour pour moi va et vient, apparaît et disparaît. Elle met en doute sa réalité parce qu'il ne lui donne pas le même plaisir solide qu'un chaton lui donne. Dieu sait que tout ça est triste. La voix humaine conspire tout le temps à décrier tout ce qui est sur terre.

« Dîner chez les Fedder ce soir. Excellent. Du veau, de la purée, des haricots du Chili, une salade délicieuse et bien assaisonnée. Au dessert, une espèce de crème de gruyère glacée avec des framboises dessus : Muriel a fait ça elle-même. Ce dessert m'a fait venir les larmes aux yeux. (Saigyo dit : "Ce que c'est je l'ignore. Mais avec reconnaissance. Coulent mes larmes.") Sur la table, devant moi, il y avait une bouteille de sauce tomate. Muriel avait sans doute dit à Mme Fedder que je mets de la sauce tomate sur n'importe quoi. J'aurais donné cher pour être là quand Muriel a dit à sa mère, avec un ton très agressif, que je mettais de la sauce tomate même sur les haricots verts. Ma chère Muriel.

« Après le dîner, Mme Fedder nous a proposé d'écouter l'émission. Son enthousiasme, sa nostalgie pour l'époque où Buddy et moi y figurions m'ont mis mal à l'aise. Ce soir, c'était une retransmission d'une base navale (pourquoi, on se le demande !) quelque part du côté de San Diego. Beaucoup trop de questions et de réponses pédantes. Franny donnait l'impression d'avoir un bon coup de froid. Zooey était dans sa forme la plus rêveuse et la plus éblouissante. Le meneur de jeu les a lâchés sur la question des logements construits par l'État, et Franny a répondu qu'elle détestait les maisons qui se ressemblent toutes – elle en avait justement après ces rangées de maisons identiques que construisent les services officiels ; et Zooey, lui, a répondu qu'il les trouvait "bien". Il a dit que ce serait très "bien" de croire rentrer chez soi et de pénétrer chez le voisin par erreur. De dîner avec des inconnus par erreur, de dormir dans le lit d'un autre par erreur et d'embrasser tout le monde le matin avant d'aller au travail, en pensant que c'est votre propre famille. Il a ajouté qu'il aimerait bien que tous les hommes et toutes les femmes se ressemblent comme ces maisons. Comme ça on croirait que tous les gens qu'on rencontre sont votre père, votre frère, votre femme, et les gens passeraient leur temps à se jeter au cou les uns des autres, et comme ça tout serait très "bien".

« Je me suis senti extrêmement heureux toute la soirée. J'ai trouvé très belle la familiarité qui existe entre Muriel et sa mère quand nous sommes allés nous asseoir dans le living-room. Elles connaissent leurs faiblesses respectives, surtout leurs faiblesses de conversation, si je puis dire, et elles les soulignent d'un regard. Les yeux de Mme Fedder observent le goût de Muriel pour les conversations portant sur la littérature, et Muriel surveille des yeux la tendance de sa mère à parler indéfiniment, verbeusement. Lorsqu'elles ont une discussion, elles ne risquent pas de séparation permanente, parce qu'elles sont mère et fille. Phénomène splendide et terrible à observer. Il m'arrive pourtant, tout en les écoutant, plein de ravissement, de souhaiter que Mme Fedder ait des conversations plus vivantes. Parfois, je sens ce manque. Il m'arrive même, en entrant par la porte de devant, de me dire que je pénètre dans une espèce de couvent séculaire, malpropre, tenu par deux religieuses. En partant, j'ai l'impression que Muriel et sa mère ont rempli mes poches de petites bouteilles et de tubes contenant du rouge à lèvres, du rouge, des filets à cheveux, des désodorisants, etc. Je leur en suis extrêmement reconnaissant, mais je ne sais que faire de leurs dons invisibles.

« Nous n'avons pas eu nos permissions aussitôt après le rapport ce soir parce que quelqu'un a laissé tomber son fusil pendant que le général britannique en visite nous passait en revue. J'ai raté le train de 5 h 52 et je suis arrivé une heure en retard à mon rendez-vous avec Muriel. Dîner à Lun Far's, dans la 58e Rue. M. irritable et au bord des larmes pendant tout le dîner, vraiment bouleversée et effrayée. Sa mère pense que j'ai une personnalité de schizoïde. J'ai cru comprendre qu'elle avait parlé de moi à son psychiatre et qu'il est de son avis à mon sujet. Mme Fedder a demandé à sa fille de rechercher avec discrétion s'il y a eu des fous dans ma famille. J'ai cru comprendre que Muriel a eu la naïveté de lui dire d'où je tiens ces cicatrices sur mes poignets. Pauvre Muriel. Mais, d'après elle, cela inquiète moins sa mère que deux autres faits. Trois, pour être exact. Le premier : je fuis les gens et ne parviens pas à nouer des relations avec eux. Deux : visiblement, je suis bizarre parce que je n'ai pas séduit Muriel. Trois : il est manifeste que Mme Fedder a longuement réfléchi à une remarque que j'ai faite un soir pendant le dîner : j'ai dit que j'aimerais bien être un chat mort. La semaine dernière, à table, elle m'a demandé ce que j'avais envie de faire après l'armée. Avais-je l'intention de me remettre à enseigner dans la même université ? Avais-je l'intention d'enseigner, avant tout ? Serais-je intéressé par un travail à la radio, peut-être comme "commentateur" ? J'ai répondu que j'avais l'impression que la guerre risquait de durer très longtemps, et j'ai ajouté que ma seule certitude, c'était que, si jamais la paix revenait, j'aimerais bien être un chat mort. Mme Fedder a cru que c'était une plaisanterie – obscure d'ailleurs. Une plaisanterie très élaborée. Selon Muriel, elle me prend pour un bel esprit. Elle a donc cru que cette déclaration, faite avec le plus grand sérieux, était de celles qu'on doit accueillir avec un petit rire très musical. Son rire dut sans doute me distraire de mes pensées, car j'en oubliai de m'expliquer. J'ai expliqué à Muriel ce soir qu'un maître du bouddhisme zen à qui on demandait quelle était la chose la plus précieuse au monde a répondu que c'était un chat mort, parce que personne ne pouvait lui mettre un prix sur le dos. M. a été soulagée, mais j'ai vu tout de suite qu'elle avait très envie de rentrer chez elle sans tarder pour assurer à sa mère que ma remarque était inoffensive. Elle est venue en taxi jusqu'à la gare avec moi. Elle a été très douce et de bien meilleure humeur. Elle a essayé de m'apprendre à sourire en étirant avec ses doigts les muscles du tour de ma bouche. Comme j'aime la voir rire ! Seigneur, je suis follement heureux avec elle ! Si seulement elle pouvait être plus heureuse avec moi ! Parfois, je l'amuse, et je crois qu'alors elle aime mon visage, mes mains et ma nuque ; elle aime aussi dire à ses amis qu'elle est fiancée au Billy Black qui est passé à "C'est un enfant avisé" pendant si longtemps. Et je crois qu'elle est poussée vers moi par un mélange d'instinct maternel et d'instinct sexuel. Mais, dans l'ensemble, je ne la rends pas vraiment heureuse. Mon Dieu, aidez-moi. Ma seule consolation – terrible consolation – c'est que ma bien-aimée ressent un amour éternel et passionné pour l'institution du mariage. Elle veut tout le temps jouer à la dame. Ses objectifs conjugaux sont absurdes et émouvants. Elle a envie de brunir, de brunir très fort, d'aller trouver le réceptionniste d'un très bel hôtel et de lui demander si son mari a déjà pris le courrier. Elle veut acheter des rideaux. Elle veut acheter des vêtements de grossesse. Elle veut quitter la maison de sa mère – qu'elle en ait ou non conscience – malgré l'attachement qu'elle a pour elle. Elle veut des enfants, de beaux enfants, qui auront ses traits et non les miens. Je crois aussi qu'elle a envie d'orner son sapin de Noël avec ses propres ornements, pas avec ceux de sa mère.

« Reçu aujourd'hui une lettre très drôle de Buddy, écrite juste après ses heures à la cuisine du mess. Je pense à lui tout en écrivant tout ceci sur Muriel. Il la mépriserait s'il lisait dans ce carnet les intentions que je lui prête en se mariant. Mais sont-elles méprisables ? En un certain sens, oui, mais elles sont tellement humaines et belles que je ne puis penser à elles maintenant, en écrivant, sans être encore ému, profondément ému. Il n'aimerait pas non plus la mère de Muriel. C'est une femme agaçante, têtue, un type de femme que Buddy trouve insupportable. Je ne pense pas qu'il verrait ce qu'elle est réellement. Une femme privée – à vie – du sens et du goût pour ce courant de poésie qui coule dans toutes choses. Elle pourrait tout aussi bien être morte, mais elle reste là, s'arrêtant dans les épiceries fines, consultant son psychiatre, dévorant un roman par soirée, mettant sa gaine, complotant sans cesse pour assurer la bonne santé et la fortune de Muriel. Je l'aime bien. Je la trouve d'une bravoure inimaginable.

« Toute notre compagnie est consignée pour ce soir. Ai fait la queue une heure entière pour pouvoir téléphoner. Muriel a paru plutôt soulagée que je ne puisse venir ce soir. Ce qui m'amuse et me ravit. Une autre fille qui voudrait vraiment passer une soirée sans son fiancé eût exprimé toutes sortes de regrets au téléphone. M. a dit simplement : "Oh !" » lorsque je le lui ai appris. Comme j'adore sa simplicité, son honnêteté si terrible. Comme je lui fais confiance.

« 3 h 30 du matin. Je suis venu dans la salle des ordonnances. Impossible de dormir. J'ai mis ma capote au-dessus de mon pyjama et je suis venu ici. Al Aspesi est de garde. Il dort sur le plancher. Je peux rester ici si je réponds au téléphone à sa place. Quelle soirée ! Le psychiatre de Mme Fedder était invité à dîner et m'a mis sur le gril jusque vers 11 heures et demie. De temps à autre, d'ailleurs, avec beaucoup d'intelligence et d'adresse. Une ou deux fois, je me suis aperçu que je l'aidais. Il semble être un vieux fanatique de Buddy et de moi-même. Il paraissait très curieux – personnellement et professionnellement – de savoir pourquoi j'avais été mis à la porte de l'émission à seize ans. Il avait entendu en entier l'émission sur Lincoln, mais il avait l'impression que j'avais dit à la radio que le discours de Gettysburg était mauvais pour les enfants. Faux. Je lui ai expliqué que j'avais dit, en fait, que c'était un discours trop difficile à retenir par cœur à l'école. Il croyait aussi que j'avais qualifié ce discours de malhonnête. Je lui ai alors répété ce que j'avais effectivement dit : il y avait eu 51 112 morts à Gettysburg et puisqu'il fallait absolument que quelqu'un fasse un discours anniversaire de cet événement, il aurait dû venir tout simplement secouer le poing devant la foule et s'en aller – c'est-à-dire qu'il fallait que l'orateur soit un homme d'une honnêteté absolue. Il n'a pas discuté cette assertion, mais il a visiblement pensé que j'avais un quelconque complexe de perfection. Il a parlé longuement et avec beaucoup d'intelligence des vertus de la vie imparfaite, de l'acceptation de ses propres faiblesses et de celles des autres. Je suis de son avis, mais en théorie seulement. Je me ferai le champion de l'épaisseur morale et intellectuelle jusqu'au jour du jugement dernier, en affirmant qu'elle conduit à une bonne santé et à une espèce de bonheur solide et enviable. Cette voie, *si on la suit dans la pureté*, est celle du *taoïsme* et c'est sans nul doute la plus belle. Mais un homme fin, pour y parvenir, devrait d'abord se débarrasser de la poésie, devrait aller au-delà de la poésie. C'est-à-dire qu'il ne pourrait jamais apprendre à aimer dans l'abstrait de la mauvaise poésie, encore moins à la comparer à la bonne poésie. Non, il devrait abandonner complètement la poésie. J'ai dit que ce serait une chose très difficile. Le Dr Sims a répondu que je voyais les choses avec trop de rigueur   comme un perfectionniste, a-t-il dit. Puis-je le nier ?

« Naturellement, Mme Fedder lui a parlé, et avec inquiétude, des neuf agrafes de Charlotte. J'ai été trop précipité, sans doute, en racontant cette affaire bien finie à Muriel. Elle raconte tout à sa mère sans attendre. Je devrais l'en empêcher et protester, mais j'en suis incapable. M. ne peut m'écouter que lorsque sa mère m'écoute aussi, la pauvre. Mais je n'avais nullement l'intention de discuter des neuf agrafes de Charlotte avec Sims. En tout cas, pas devant un seul verre. Il aurait fallu du temps.

« J'ai plus ou moins promis ce soir à Muriel, à la gare, que j'irais voir un psychiatre un de ces jours. Sims m'a dit que lui-même ferait très bien l'affaire. Il est évident qu'il en avait discuté en privé une ou deux fois avec Mme Fedder. Pourquoi cela ne me déplaît-il pas ? Ça me laisse indifférent. Étrange, vraiment, ma réaction. Leur complot m'amuse et me réchauffe. Même les belles-mères classiques des faits divers ne m'ont jamais que très vaguement intéressé. En tout cas, je ne vois pas ce que je pourrais perdre en allant consulter un psychiatre. Si je le fais à l'armée, ce sera gratuit. M. m'aime, mais elle ne se sentira vraiment proche de moi, *en familiarité* avec moi, *frivole* devant moi que lorsque j'aurai été un peu réparé.

« Le jour où j'irai consulter un psychiatre, j'espère de tout cœur qu'il aura assez d'intuition pour faire venir aussi un dermatologue, un spécialiste des mains. J'ai des cicatrices sur les mains qui me viennent d'avoir touché certaines personnes. Un jour, dans le parc, alors que Franny était encore dans sa voiture d'enfant, j'ai posé la main sur le dessus duveteux de son crâne et je l'y ai laissée trop longtemps. Un autre jour, avec Zooey, au Loew de la 72ᵉ Rue, pendant un film idiot. Il avait six ou sept ans, et il s'était réfugié sous le fauteuil pour éviter de regarder une scène pénible. Je mis la main sur sa tête. Certaines têtes, certaines couleurs, certaines textures de cheveux humains me laissent des marques permanentes. D'autres choses aussi : Charlotte, un jour, s'enfuit loin de moi, sortit du studio en courant, et je l'attrapai par sa robe pour l'arrêter, pour la retenir à mes côtés. Elle avait une robe de coton jaune que j'aimais beaucoup parce qu'elle était trop longue pour elle. J'ai toujours une marque jaune citron sur ma paume droite. Oh ! mon Dieu ! si ce que j'ai porte quelque nom savant, c'est que je suis un paranoïaque à l'envers. Je soupçonne les autres de faire des complots pour me rendre heureux. »

Je me souviens d'avoir refermé le carnet – refermé brutalement – après le mot « heureux ». Je m'assis alors plusieurs minutes avec le carnet sous un bras, jusqu'à ce que j'éprouve un certain sentiment d'inconfort d'avoir été assis aussi longtemps sur la baignoire. En me levant, je m'aperçus que je transpirais plus fort que je ne l'avais fait de toute la journée, un peu comme si je sortais de la baignoire, alors que je n'y avais pas mis le pied. Je me dirigeai vers le coffre à linge sale, en soulevai le couvercle, et, d'un mouvement du poignet presque vicieux, je jetai littéralement le carnet de Seymour entre des draps et des taies d'oreillers, au fond du coffre. Puis, faute d'une idée meilleure ou plus constructive, je retournai m'asseoir sur le bord de la baignoire. Je regardai quelques instants le message de Boo Boo sur l'armoire à pharmacie, puis je quittai la salle de bains, en refermant violemment la porte derrière moi, comme si cette démonstration de force devait suffire à tenir ce lieu fermé pour toujours.

Mon arrêt suivant fut dans la cuisine. Heureusement, elle donnait sur le couloir, et je pouvais m'y rendre sans traverser le living-room et sans avoir à regarder mes hôtes en face. En y arrivant, la porte tournante une fois refermée, j'ôtai mon veston d'uniforme que je jetai sur la table émaillée. Le seul fait de l'ôter me demanda, me semble-t-il, toute l'énergie qui me restait, et je restai quelques instants, vêtu de mon seul T-shirt, à me reposer, pour ainsi dire, avant d'entreprendre la tâche herculéenne de préparer les boissons. Et puis, brusquement, comme si j'étais observé par quelque police invisible, à travers de petites ouvertures ménagées dans les murs, je me mis à ouvrir la porte du réfrigérateur et des portes d'armoires pour y trouver les ingrédients d'un Tom Collins. Ils étaient tous là, mais je ne trouvai que des citrons au lieu des limons escomptés ; quelques minutes plus tard, j'avais préparé une cruche pleine de Tom Collins un peu trop sucré peut-être. Je pris cinq verres et cherchai des yeux un plateau. Il me fallut pas mal de temps pour en dénicher un, juste assez longtemps pour que je commence à émettre des geignements audibles, quoique faibles, tout en ouvrant les portes des placards.

J'allais sortir de la cuisine, en tenant le plateau chargé de la cruche et des verres, ayant remis mon veston, lorsqu'une lampe imaginaire et très brillante s'alluma au-dessus de ma tête, de la façon dont les lampes s'allument, dans les bandes dessinées, pour montrer que le héros a brusquement une idée de génie. Je reposai le plateau sur le sol. Je repartis devant l'armoire à liqueurs et y pris une bouteille de scotch à demi pleine. Je pris ensuite mon verre et me versai, un peu accidentellement, au moins quatre doigts de scotch. Je considérai le verre d'un œil critique l'espace d'une demi-seconde, et puis, comme un héros pur et loyal de western, j'avalai mon verre d'un trait. Détail que, je puis aussi bien le dire, je ne raconte ici qu'avec un frisson très net. D'accord : j'avais vingt-trois ans et je n'avais fait que ce que n'importe quel imbécile de cet âge eût fait en pareil cas. Pas quelque chose d'aussi simple, pourtant. Je veux dire que je ne suis pas un buveur, comme on dit. Avec une once de whisky, en général, ou bien je suis très malade, ou bien je scrute tous les gens qui m'entourent pour m'assurer qu'on m'a bien vu. Avec *deux* onces de whisky, il m'est arrivé de m'évanouir.

Cette journée, pourtant, pour employer un euphémisme sans égal, n'avait rien d'ordinaire, et je me souviens d'avoir repris le plateau et de m'être préparé à sortir de la cuisine sans ressentir aucun des grands changements métamorphiques habituels et immédiats. L'estomac du sujet semblait bien être le générateur d'une chaleur absolument sans précédent, mais c'était tout.

Dans le living-room, lorsque j'entrai avec le plateau chargé, je ne vis aucun changement notable dans le comportement de mes hôtes, sauf que – fait réconfortant – l'oncle du père de la fiancée les avait rejoints. Il était affalé dans le fauteuil de feu mon chien. Ses jambes minuscules étaient croisées, ses cheveux bien peignés, sa tache de sauce restait tout aussi frappante et – oyez, oyez, bonnes gens – *son cigare était allumé*. Nous nous saluâmes avec encore plus de démonstrations qu'à l'ordinaire, comme si ces séparations intermittentes étaient devenues soudain trop longues, inutiles et insupportables.

Le lieutenant n'avait pas quitté son poste devant la bibliothèque. Debout, il tournait les pages d'un livre qu'il avait sorti, et il paraissait complètement absorbé. (Je n'ai jamais découvert quel livre c'était.) Mme Silsburn, l'air pleine de sang-froid, semblant même rafraîchie, son maquillage refait entièrement (c'est du moins l'impression que j'en eus), était maintenant assise sur le divan, dans le coin le plus éloigné de celui qu'occupait l'oncle du père de la fiancée. Elle parcourait une revue.

— Oh ! comme c'est joli ! dit-elle d'une voix mondaine en apercevant le plateau que je venais de poser sur la table à thé.

Elle me fit un large sourire.

— J'ai mis très peu de gin dedans, dis-je en mentant.

Je commençai à remuer le contenu de la cruche.

— Il fait si bon et il fait si frais ici maintenant, dit Mme Silsburn. Puis-je vous poser une question ?

En disant cela, elle posa sa revue, se leva, se dirigea, en contournant le divan, vers le bureau. Elle tendit la main et plaça un doigt sur l'une des photos épinglées au mur.

— *Qui* est ce très bel enfant ? me dit-elle.

Maintenant que l'air conditionné fonctionnait efficacement, maintenant qu'elle avait eu le temps de refaire son maquillage, elle ne ressemblait plus du tout à l'enfant maigrichon et craintif qui nous avait attendus devant le Shrafft de la 79ᵉ Rue, en plein soleil. Elle me parlait désormais avec tout l'aplomb cassant qu'elle avait eu lorsque j'avais sauté dans la voiture, devant la maison de la grand-mère, et qu'elle m'avait demandé si j'étais bien un certain Dickie Briganza.

Je cessai de remuer le contenu de ma cruche pour aller la rejoindre. Elle avait placé un ongle verni sur la photo des participants de l'année 1929 à l'émission « C'est un enfant avisé ». Son doigt désignait un enfant et un seul. Sept d'entre nous étaient assis autour d'une table ronde, un micro placé devant chacun.

— C'est l'enfant le plus beau que j'aie jamais vu, dit Mme Silsburn. Savez-vous à qui elle ressemble un peu ? Surtout autour des yeux et de la bouche.

À cet instant, un peu du scotch que j'avais bu (le premier doigt, peut-être) commençait à m'affecter et je faillis lui répondre : « Dickie Briganza », mais un certain sentiment de prudence l'emporta. Je fis « oui » de la tête et prononçai le nom de l'actrice de cinéma que la dame d'honneur, plus tôt dans l'après-midi, avait mentionnée en parlant aussi de neuf agrafes.

Mme Silsburn me regarda fixement.

— Est-ce qu'elle est, elle aussi, passée à « C'est un enfant avisé » ?

— Pendant à peu près deux ans, répondis-je. Oui. Seigneur ! oui. Et sous son vrai nom, bien sûr. Charlotte Mayhew.

Le lieutenant était maintenant derrière moi, à ma droite, et il regardait la photo. En entendant le nom de Charlotte, il avait quitté la bibliothèque pour venir jeter un coup d'œil.

— Je ne savais pas qu'elle était passée à la radio dans son enfance, dit Mme Silsburn. Je ne le savais pas du tout ! Était-elle aussi intelligente que maintenant ?

— Non, elle était surtout bruyante, pour dire la vérité. Elle chantait aussi bien que maintenant, cependant. Et elle était merveilleusement réconfortante. Elle faisait généralement en sorte d'être assise auprès de mon frère Seymour à la table d'enregistrement et, dès qu'il disait quelque chose qui la faisait rire, elle lui écrasait le pied avec le sien sous la table. C'était comme une poignée de main, mais donnée avec les pieds !

Tout en prononçant cette petite homélie, je gardai les mains posées sur la barre supérieure du dossier d'une chaise à dossier droit. Brusquement, elles glissèrent, un peu comme le coude qu'on a posé pour s'appuyer sur un bar ou sur une table peut soudain « lâcher ». Je perdis l'équilibre un instant, mais comme je le rattrapai très vite, ni Mme Silsburn ni le lieutenant ne semblèrent s'en apercevoir. Je croisai les bras.

— Certains soirs, lorsqu'il était dans une forme exceptionnelle, Seymour rentrait chez nous en boitant un peu. Je vous dis la stricte vérité. Charlotte ne se contentait pas de faire de petites pressions sur son pied, elle le lui écrasait parfois littéralement. Il s'en moquait bien. Il adorait les gens qui lui marchaient sur les pieds. Il adorait les filles bruyantes !

— Ça alors ! Comme c'est intéressant ! dit Mme Silsburn. Je n'ai jamais appris qu'elle avait passé à la radio, ni rien de tout ça !

— Seymour l'avait fait entrer, pour dire la vérité, repris-je. C'était la fille d'un ostéopathe qui habitait le même immeuble que nous à Riverside Drive.

Je replaçai les mains sur le dossier de la chaise et m'appuyai dessus de tout mon poids, à la fois pour m'y appuyer, et pour prendre un air de vieillard nostalgique. Le son de ma propre voix commençait à me plaire énormément.

— Nous jouions au ballon prisonnier près de chez nous, un après-midi, après l'école, Seymour et moi, lorsqu'une fille – Charlotte – commença à jeter des billes sur nous depuis une fenêtre du douzième étage. Ce fut l'occasion de notre première rencontre. Nous la fîmes participer à l'émission dès cette semaine-là. Nous ne savions même pas qu'elle chantait. Nous tenions à l'avoir uniquement à cause de son très bel accent new-yorkais. Elle avait un accent de Dyckman Street.

Mme Silsburn rit de ce petit rire cristallin qui est le plus pénible aux vrais conteurs d'anecdotes, qu'ils soient de sang-froid ou non. Il était évident qu'elle attendait que je termine, car elle posa aussitôt une question directe au lieutenant.

— À qui diriez-vous qu'elle ressemble ? lui dit-elle abruptement. Surtout autour des yeux et de la bouche ? Hein, qui vous rappelle-t-elle ?

Le lieutenant la regarda, puis regarda la photo.

— Vous voulez parler de son air sur la photo ? Quand elle était grosse ? dit-il. Ou bien de son physique actuel ? Au cinéma ? Hein, de quoi parlez-vous ?

— Des deux, je crois, des deux. Mais surtout de cette photo.

Le lieutenant observa attentivement la photo, avec un air sévère même, me dis-je, comme s'il n'avait pas du tout aimé la façon dont Mme Silsburn, qui, après tout, était à la fois une femme et « un civil », lui avait demandé ou enjoint de l'examiner.

— Muriel, dit-il sèchement. On dirait Muriel sur cette photo. Les cheveux et tout ça, quoi.

— Mais oui, exactement ! dit Mme Silsburn. Elle se tourna vers moi. Exactement ! répéta-t-elle avec insistance. Avez-vous déjà vu Muriel ? Je veux dire, l'avez-vous déjà vue lorsqu'elle s'est fait nouer les cheveux dans une très jolie...

— Je n'avais jamais vu Muriel du tout avant ce jour, dis-je.

— Bon, alors, croyez-moi sur parole, dit Mme Silsburn en tapotant la photo d'un air convaincu, avec son index. Cette enfant aurait pu servir de *double* à Muriel à cet âge. Indiscutablement.

Le whisky faisait de plus en plus d'effet sur moi, et je ne saisis pas la portée de cette affirmation, et moins encore ses innombrables ramifications. Je reculai de quelques pas, d'une démarche quelque peu raide, je crois, vers la table à thé, et je me remis à remuer le contenu de ma cruche. L'oncle du père de la fiancée tenta de retenir mon attention en me voyant revenir dans son voisinage, de saluer mon retour, mais j'étais trop préoccupé par la ressemblance supposée entre Muriel et Charlotte pour pouvoir lui répondre. Et je me sentais aussi un peu étourdi. J'eus brusquement envie – envie que je pus réfréner – de m'asseoir par terre pour remuer mes cocktails.

Une minute ou deux plus tard, alors que je commençais à emplir les verres, Mme Silsburn me posa une nouvelle question. Elle me parvint comme un air de musique sublime, à travers la pièce, tant elle avait été prononcée d'une voix mélodieuse.

— Me jugeriez-vous odieuse si je vous demandais des détails sur cet accident dont Mme Burwick a justement parlé tout à l'heure ? Je veux parler de ces neuf agrafes, vous savez... Est-ce que votre frère l'a *poussée* accidentellement, ou bien y a-t-il eu autre chose ?

Je posai la cruche, qui me semblait extrêmement lourde et très peu maniable, et je regardai mon interlocutrice. Chose étrange, malgré le léger vertige qui commençait à s'emparer de moi, des images pourtant bien lointaines restaient distinctes dans mon esprit. Mme Silsburn, sur qui je concentrai mes regards, à l'autre extrémité de la pièce, me semblait malheureusement très distincte.

— Qui est Mme Burwick ? dis-je.

— Ma femme, répondit le lieutenant un peu trop sèchement.

Il me regardait, lui aussi, comme un comité formé d'un seul membre et chargé de trouver la cause de mon retard à servir à boire.

— Oh ! Elle... Oui, c'est sûrement ça, balbutiai-je.

— Était-ce un accident ? reprit Mme Silsburn, d'une voix pressante. Il ne l'a pas fait exprès, n'est-ce pas ?

— Oh ! *Seigneur* ! madame Silsburn !

— Vous avez dit ?... dit-elle froidement.

— Excusez-moi. Ne vous occupez pas de moi. Je commence à être un peu ivre. Je me suis versé un grand verre de whisky dans la cuisine il y a cinq minutes et…

Je m'interrompis et me retournai brusquement. Je venais d'entendre un pas lourd et familier dans le couloir dépourvu de moquette. Il se dirigeait vers nous – sur nous – à grande vitesse, et, un instant plus tard, la dame d'honneur fit son entrée dans la pièce.

Elle ne regarda personne en particulier.

— J'ai fini par les joindre, dit-elle.

Sa voix semblait, chose étrange, avoir perdu tout relief, même celui qu'on peut parfois transcrire par des italiques.

— Il m'a fallu des heures.

Son visage était tendu et surchauffé – prêt à craquer, eût-on dit.

— C'est vraiment frais ? dit-elle.

Sans s'arrêter, sans attendre de réponse, elle alla jusqu'à la table à thé. Elle prit le seul verre que j'avais rempli – à moitié seulement d'ailleurs – une minute plus tôt et elle en avala le contenu d'un trait, goulûment.

— Je n'ai jamais été dans une pièce plus chaude de toute ma vie, dit-elle, sur un ton assez impersonnel, en reposant son verre vide.

Elle prit la cruche et emplit le verre à demi dans un grand tintement de cubes de glace, entrecoupé de « plof » sourds.

Mme Silsburn était déjà parvenue dans le voisinage immédiat de la table à thé.

— Et qu'est-ce qu'ils vous ont dit ? demanda-t-elle avec impatience. Avez-vous pu parler à Rhea ?

La dame d'honneur but avant de répondre.

— J'ai pu parler à tout le monde, dit-elle en replaçant son verre sur la table.

Elle avait souligné d'un air triste, et absolument pas dramatique (ce qui me surprit de sa part) les mots « tout le monde ». Elle regarda tour à tour Mme Silsburn, moi-même et le lieutenant.

— Vous pouvez tous vous détendre maintenant, dit-elle. Tout va pour le mieux là-bas.

— Comment ? Qu'est-ce qui s'est passé ? dit Mme Silsburn vivement.

— Rien de plus que ce que j'ai dit. Le *fiancé* a cessé d'être indisposé par son *bonheur*.

La voix de la dame d'honneur avait enfin retrouvé ses modulations d'antan.

— Comment ? Mais à qui as-tu parlé ? dit le lieutenant. As-tu parlé à Mme Fedder ?

— J'ai dit que j'avais pu parler à tout le monde. Sauf à la jeune mariée. Elle et son mari se sont déjà enfuis.

Elle se tourna vers moi.

— Combien de morceaux de sucre avez-vous mis là-dedans ? dit-elle d'un air irrité. Ça a un goût de…

— Enfuis ? dit Mme Silsburn en plaçant une main sur sa gorge.

La dame d'honneur la regarda.

— Allons, allons, détendez-vous, lui conseilla-t-elle. Vous ferez de plus vieux os.

Mme Silsburn s'assit sur le divan, comme vidée de ses forces. Elle s'était d'ailleurs assise près de moi. Moi, je regardais fixement la dame d'honneur et je suis sûr que Mme Silsburn en fit immédiatement autant.

— Si j'ai bien compris, il les attendait à l'appartement ! Alors Muriel s'est dépêchée de faire ses valises et les voilà partis, hop, comme ça !

La dame d'honneur haussa les épaules très lentement. Elle reprit son verre et le vida.

— De toute façon, nous sommes tous invités à la réception. Si on peut encore appeler ça une *réception* après le départ des jeunes mariés. Si j'ai bien compris, il y a déjà foule là-bas. Tout le monde m'a paru très en forme au téléphone.

— Tu dis que tu as parlé à Mme Fedder. Qu'est-ce qu'elle t'a raconté ? dit le lieutenant.

La dame d'honneur secoua la tête d'un air assez mystérieux.

— Elle a été absolument merveilleuse. Seigneur, quelle femme ! Elle m'a paru tout à fait normale. Si j'ai bien compris – d'après ce qu'elle m'a dit, quoi – ce Seymour lui a promis d'aller consulter un psychiatre régulièrement et de se remettre sur pied. – Elle haussa de nouveau les épaules. – Qui sait ? Peut-être que tout va se passer pour le mieux dans le meilleur des mondes. Moi, je suis trop fatiguée pour penser. Elle regarda son mari. Allons-y. Où as-tu fourré ton petit chapeau ?

Une seconde plus tard, la dame d'honneur, le lieutenant et Mme Silsburn se dirigeaient en file indienne vers la porte d'entrée suivis de près par leur hôte. Ma démarche était maintenant très incertaine ; mais comme personne ne se retourna, je pense que mon état lamentable passa inaperçu.

J'entendis Mme Silsburn dire à la dame d'honneur :

— Allez-vous vous arrêter là-bas ou quoi ?

— Je n'en sais rien, répondit-elle. Si nous nous y arrêtons, ce ne sera que pour une toute petite minute.

Le lieutenant appela l'ascenseur et mes trois hôtes observèrent sans mot dire le déplacement de l'aiguille sur le cadran répétiteur. Personne ne semblait plus avoir rien à dire. Je restai dans l'encadrement de ma porte, à quelques pas d'eux, regardant vaguement la scène. Lorsque la porte de l'ascenseur s'ouvrit, je dis « Au revoir » très fort, et leurs trois têtes se tournèrent à l'unisson vers moi. « Au *revoir* », répondirent-ils, et j'entendis la dame d'honneur crier :

— Merci pour ce verre de Tom Collins !

La porte de l'ascenseur se referma sur eux.

Je rentrai dans l'appartement, tenant à peine debout. J'essayais, en marchant, d'ouvrir ma veste d'uniforme, soit en la déboutonnant, soit en tirant dessus de toutes mes forces.

Mon retour dans le living-room fut salué très joyeusement par mon seul hôte encore présent. Je l'avais complètement oublié. Il leva devant ses yeux un verre bien rempli dès qu'il me vit apparaître. En fait, je puis même dire qu'il fit avec ce verre des gestes frénétiques de bienvenue, non sans les accompagner de grands mouvements de tête et d'immenses sourires, comme si le moment suprême, le grand moment que nous attendions tous deux depuis si longtemps était enfin arrivé. Je m'aperçus que je n'étais pas capable de lui rendre ses sourires avec le même enthousiasme. Je me souviens de lui avoir donné quelques petites tapes affectueuses sur l'épaule. Puis j'allai m'asseoir lourdement sur le divan, exactement en face de lui, et je finis d'ouvrir ma veste de force.

— N'avez-vous donc pas de maison ? lui dis-je. Qui s'occupe de vous ? Les pigeons des jardins publics ?

En réponse à ces questions pourtant si provocantes, mon hôte me porta un toast avec une joie renouvelée en agitant sous son nez son verre de Tom Collins comme si ç'avait été un pot à bière. Je fermai les yeux et m'allongeai sur le divan, bien à plat, les pieds légèrement surélevés. Mais cet effort me donna l'impression d'être dans un bateau en pleine tempête.

Je m'assis aussitôt et fis pivoter mes jambes, ce qui amena mes pieds en contact avec le sol ; je fis ce mouvement si brusquement et avec une coordination si mauvaise que je dus me rattraper à la table à thé. Je restai penché en avant une minute ou deux, les yeux fermés. Et puis, sans me lever, je saisis la cruche de Tom Collins et m'en versai un verre, non sans renverser beaucoup de liquide et de cubes de glace sur le parquet. Je restai assis quelques minutes de plus, le verre plein à la main, sans boire, et je finis par le poser au milieu d'une petite mare peu profonde, sur la table à thé.

— Aimeriez-vous savoir comment Charlotte a dû se faire mettre ces neuf agrafes ? demandai-je soudain, d'un ton qui me parut parfaitement normal. Nous étions au Lac. Seymour avait écrit à Charlotte pour l'inviter à venir nous voir, et sa mère a fini par lui donner la permission. Elle s'assit au milieu de notre allée, un matin pour caresser le chat de Boo Boo, et Seymour lui a jeté un caillou. Il avait douze ans. Voilà toute l'histoire. Il lui a jeté un caillou parce qu'il l'avait trouvée si jolie, assise ainsi avec le chat de Boo Boo au milieu de l'allée. Tout le monde savait ça, bon Dieu, tout le monde, y compris moi, Charlotte, Boo Boo, Waker, Walt et toute la famille.

Je regardai un instant le cendrier d'étain placé sur la table à thé. « Charlotte ne lui en a jamais voulu de ça, jamais. » Je regardai mon hôte, m'attendant presque à ce qu'il conteste mes affirmations, qu'il me traite de menteur. Je suis un menteur, c'est vrai. Charlotte n'a jamais compris pourquoi Seymour lui avait jeté ce caillou. Mais mon hôte ne discuta nullement mes dires. Au contraire. Il me fit un sourire très encourageant, comme si tout ce que je pourrais lui dire de plus sur ce sujet, en ce qui le concernait, était par nature l'essence même de la vérité. Je me levai et quittai la pièce. Je me souviens que, arrivé au centre de la pièce, j'eus envie de revenir en arrière pour ramasser deux cubes de glace tombés à terre, mais je jugeai l'entreprise trop risquée et je repris mon chemin vers le couloir. En passant devant la cuisine, j'ôtai ma veste – ôter est un euphémisme – et la laissai tomber à terre. À terre : j'eus l'impression, sur le moment, que c'était toujours là que je rangeais ma veste.

Dans la salle de bains, je restai plusieurs minutes penché au-dessus du coffre à linge, me demandant si je devais ou non prendre le carnet de Seymour pour continuer à le lire. J'ai oublié quels arguments – pour ou contre – je fus capable de disposer en ordre de bataille, mais je finis par ouvrir le coffre et par prendre le carnet. Je m'assis alors, une fois de plus, sur le rebord de la baignoire et je parcourus les pages du carnet jusqu'à ce que je fusse parvenu à la dernière note prise par Seymour.

« Un homme vient d'appeler une fois de plus les pilotes de service. Si le plafond continue à remonter, nous pourrons décoller, semble-t-il, avant le matin. Oppenheim nous dit de ne pas nous en faire. J'ai téléphoné à Muriel pour le lui dire. C'était très étrange. Elle a décroché le téléphone et elle a répété "Bonjour". Elle a failli raccrocher. Si seulement je pouvais me calmer un peu. Oppenheim va aller dormir jusqu'au prochain appel général. Je devrais en faire autant, mais j'en suis incapable ; trop énervé. Je l'avais appelée, en réalité, pour lui demander, pour la supplier une dernière fois de s'enfuir avec moi et de m'épouser. Je suis trop énervé pour être avec qui que ce soit. J'ai l'impression que je suis sur le point de naître. Jour sacré, sacré. La liaison a été très mauvaise, et je n'ai pratiquement pas pu parler. Comme c'est terrible de dire "Je t'aime" lorsque la personne qui est à l'autre bout hurle "Quoi ?" J'ai passé ma journée à lire des extraits choisis du Vedanta. Les époux doivent se servir l'un l'autre. S'élever, s'aider, s'instruire, s'affermir, mais, par-dessus tout, se servir. Élever leurs enfants avec amour, dans l'honneur et le détachement. Un enfant est un invité dans une maison, qu'on doit aimer et respecter, jamais posséder, puisqu'il appartient à Dieu. Comme c'est merveilleux, sain, beau et difficile, donc vrai. La joie de la responsabilité pour la première fois de ma vie. Oppenheim dort déjà. Je devrais l'imiter, mais ne le puis. Quelqu'un doit rester éveillé avec un homme heureux. »

Je lus ce passage en entier, mais une seule fois, puis je refermai le carnet et l'emportai avec moi dans la chambre. Je le mis dans la valise en toile de Seymour, sur l'appui de la fenêtre. Puis je tombai, plus ou moins volontairement, sur le plus proche des deux lits. J'étais endormi – ou bien, qui sait, ivre mort – avant de toucher les couvertures. Du moins, c'est le souvenir que j'en ai gardé.

Lorsque je me réveillai, environ une heure et demie plus tard, j'avais une migraine épouvantable et la bouche sèche. La pièce était presque obscure. Je me souviens d'être resté assis longtemps sur le bord du lit. Et puis, poussé par une soif intense, je me levai et me dirigeai péniblement vers le living-room, espérant y trouver encore des restes de cocktail frais dans la cruche, sur la table à thé.

Mon dernier invité, visiblement, s'en était allé sans rien dire. Seuls son verre vide et les restes de son cigare, dans le cendrier d'étain, montraient qu'il avait bien existé. Je continue à penser que j'aurais dû expédier les restes du cigare à Seymour, pour le changer un peu des traditionnels cadeaux de mariage. Oui, le cigare tout seul, dans une jolie petite boîte. Peut-être avec une feuille de papier blanc, en guise d'explication.

Seymour,
une introduction

Les acteurs, par leur *présence*, me persuadent toujours, quelle que soit mon horreur devant cette découverte, que tout ce que j'ai écrit à leur sujet jusqu'à présent n'est qu'erreur. Ce n'est qu'erreur parce que j'écris sur eux avec amour, un amour inébranlable (en ce moment même, ce que j'écris, pendant que je l'écris, devient faux), mais aussi avec un talent inégal qui ne saisit pas les vrais acteurs avec force et réalisme, mais se perd tristement dans cet amour qui jamais ne sera satisfait de son étendue et qui pense, par conséquent, qu'il protège les acteurs en empêchant ce talent de s'exercer.

Les choses se passent un peu comme si (pour parler au figuré), un auteur ayant fait une faute d'orthographe, cette faute devenait consciente d'elle-même. Peut-être ceci n'était-il pas une faute, peut-être était-ce, au sens le plus élevé, une partie essentielle de toute l'affaire. Les choses se passent donc comme si cette faute d'orthographe devait se rebeller contre l'auteur, par haine de lui, devait l'empêcher de la corriger et devait même dire : « Non, je ne me laisserai pas biffer, je porterai témoignage contre toi, je proclamerai sous la foi du serment que tu es un très mauvais écrivain. »

Très franchement, il m'arrive parfois de trouver cette situation agréable, mais à l'âge de quarante ans, je considère mon vieil et brave ami le lecteur moyen comme mon dernier confident vraiment contemporain, et l'on m'a demandé avec beaucoup d'insistance, bien avant mes vingt ans – « on », c'est-à-dire l'auteur le plus intéressant et en même temps le moins fondamentalement vaniteux que j'aie rencontré – de toujours tenir grand compte des agréments de ces relations, malgré leurs particularités et leurs mauvais moments : en ce qui me concernait, il avait tout deviné dès le début. La question, c'est de savoir comment un écrivain peut tenir compte de ces agréments s'il ignore absolument à quoi ressemble son lecteur moyen ? L'inverse est assez fréquent, sans nul doute, mais, je vous le demande, *quand* a-t-on jamais demandé à l'auteur d'une nouvelle quelle idée il se fait de son lecteur ? Par chance – je profite de l'occasion pour faire valoir mon point de vue tout de suite, car je ne pense pas que mon point de vue résisterait à une présentation interminable –, par chance, j'ai découvert, il y a bien longtemps, tout ce qu'il m'est indispensable de connaître sur *mon* lecteur moyen, c'est-à-dire sur *vous*, je crois. Je crains que vous ne m'apportiez ici un démenti obstiné, mais je ne puis pas me permettre de faire le moindre crédit à votre parole.

Vous êtes un grand amateur d'oiseaux. Vous ressemblez beaucoup à un personnage d'une nouvelle de John Buchan intitulée *Skule Sherry*, nouvelle qu'Arold L. Sugarman junior me poussa fortement à lire pendant une étude très mal surveillée ; vous êtes quelqu'un qui s'est occupé d'oiseaux essentiellement parce que les oiseaux ont captivé votre imagination ; et s'ils vous ont captivé à ce point, c'est parce qu'ils « semblaient être, parmi tous les êtres créés, les plus proches des purs esprits – ces petites créatures dont la température normale est de 51° ». Très certainement, à l'exemple de ce personnage de John Buchan, vous avez dans la tête des quantités d'idées associées et passionnantes ; vous vous êtes souvenu, j'en suis persuadé, que « le roitelet huppé, dont l'estomac ne dépasse pas la taille d'un haricot, traverse la mer du Nord ! Le courlis chevalier, qui pond ses œufs tellement au nord que trois personnes seulement ont pu voir son nid, va passer des vacances en Tasmanie ! » Ce serait trop beau d'espérer que mon propre – mon très propre – lecteur moyen soit précisément l'une de ces trois personnes qui ont vu le nid du courlis chevalier, mais je sens, du moins, que je le connais – que je *vous* connais – assez bien pour deviner quelle sorte de geste vous apprécierez venant de moi à l'instant même. Dans cet esprit d'intimité, donc, mon vieux confident, avant d'aller rejoindre les autres, ceux qui se sentent les pieds sur terre n'importe où, et qui comprennent, j'en suis sûr, les conducteurs de stock-cars d'une quarantaine d'années qui tiennent absolument à vous emmener un jour dans la lune, les fanatiques de Dharma, les fabricants de filtres à cigarettes pour penseurs, les gens de la « beat generation », les lavettes et les excités, les gens qui rendent un culte bien choisi, tous les experts hautains qui savent si bien ce que nous devrions et ce que nous ne devrions pas faire avec nos pauvres petits organes sexuels, tous les jeunes gens à barbe, fiers, illettrés, tous les guitaristes amateurs, les tueurs-zen, les blousons noirs groupés en S A R L esthétiques qui contemplent du haut de leurs nez tristes cette planète splendide sur laquelle (je vous supplie de ne pas me faire taire) Kilrey, le Christ et Shakespeare se sont tous les trois arrêtés – avant d'aller rejoindre les autres, je vous dis en privé, mon *vieil* ami, (je vous baille et vous bonnis, adonques), acceptez, je vous prie, ce bouquet sans prétention de parenthèses précoces : (((()))). Je crois, le moins floralement du monde, que j'aimerais que vous les prissiez, en premier lieu, pour des signes tordus et arqués de mon état d'esprit et de corps devant ce récit. Professionnellement parlant, ce qui est la seule manière de parler que j'aie jamais jugée agréable (et, je le dis pour me décerner encore moins d'éloges, je parle neuf langues, sans jamais m'arrêter, quatre d'entre elles raide mort) – professionnellement parlant, je le répète, je suis un homme follement heureux. Je ne l'ai jamais été auparavant. Oh, oui, une fois peut-être, lorsque j'avais quatorze ans et que j'écrivais une histoire dans laquelle tous les personnages avaient des balafres acquises dans des duels estudiantins à Heidelberg – tous, y compris le héros, l'héroïne, le méchant, la vieille bonne et nourrice de l'héroïne, tous les chevaux et tous les chiens – j'étais alors raisonnablement heureux, si vous voulez, mais pas extatiquement, comme maintenant. Pour en venir au fait : il se trouve que je sais, mieux que quiconque peut-être, qu'une personne extatiquement heureuse est très souvent particulièrement insupportable. Il est évident que les poètes, dans cet état d'esprit, sont les plus « difficiles », mais le prosateur lui-même, saisi par un accès de bonheur, n'a guère le choix entre plusieurs lignes de conduite lorsqu'il est placé en compagnie de gens distingués ; divin ou pas, un accès est un accès. Tout en pensant qu'un prosateur extatiquement heureux peut faire beaucoup de bonnes choses sur une page imprimée – et même les meilleures, je l'espère très franchement – il est tout aussi vrai et manifeste, je le crains, qu'il ne peut être ni modéré, ni sobre, ni bref ; il perd presque tous ses paragraphes courts. Il est incapable de détachement, sinon très rarement, avec une méfiance infinie, sur les pointes des vagues. Dans le sillage d'un navire aussi grand et aussi dévorant que le bonheur, il abandonne nécessairement le plaisir bien moindre, mais, pour un écrivain, toujours exquis, qui consiste à ne pas prendre parti. Pire encore, je crois, il n'est plus à même de satisfaire le besoin le plus immédiat du lecteur : c'est-à-dire, de voir l'auteur poursuivre son histoire le pied au plancher. D'où, pour une part, cette offrande menaçante de parenthèses faite il y a quelques phrases. Je n'ignore pas que beaucoup de gens intelligents sont incapables de supporter des digressions parenthétiques dans le cours avoué d'une histoire. (Nous sommes avertis de ces choses par la poste ; la plupart du temps, je le reconnais, ces avis nous viennent d'universitaires qui préparent une thèse et qui ont des envies très naturelles et très feutrées de faire pendant leurs heures de loisir des articles qui nous rayeraient de la littérature. Mais nous, nous lisons ces lettres et nous allons même jusqu'à les croire ; bonne, mauvaise ou quelconque, une série de mots anglais retient toujours notre attention comme si elle avait été écrite par Prospero lui-même.) Je suis ici pour avertir le lecteur que non seulement mes apartés vont se déchaîner, à partir de dorénavant (je ne puis même pas affirmer qu'il n'y aura pas une ou deux notes de bas de page), mais aussi que j'ai pleinement l'intention de lui sauter personnellement de temps en temps sur le dos lorsque j'apercevrai, en dehors du sentier battu de l'intrigue principale, un point de vue intéressant ou curieux qui vaille la peine qu'on change de cap. La vitesse ici, Dieu protège ma vieille peau d'Américain, n'a absolument aucun sens à mes yeux. Mais il y a des lecteurs qui demandent très sérieusement qu'on attire leur attention uniquement par les méthodes les plus discrètes, les plus classiques et peut-être les plus habiles ; aussi suggéré-je, avec toute l'honnêteté dont un écrivain peut être capable en la circonstance, que ces lecteurs prennent dès à présent leur congé, pendant qu'ils peuvent encore le faire facilement et sans se faire remarquer. Je continuerai sans doute à signaler des portes de sortie dans le cours de ce récit, mais je ne puis nullement garantir que je donnerai les apparences de m'y intéresser de nouveau.

J'aimerais commencer par quelques mots (sans limitation de mots) sur les deux citations qui ouvraient ce récit. « Les acteurs par leur présence… » est une citation de Kafka. La seconde, « Les choses se passent un peu comme si (pour parler au figuré) un auteur ayant fait une faute d'orthographe… », est une citation de Kierkegaard (et je ne puis guère me retenir ici de me frotter les mains, geste sans grâce, en pensant que ce passage de Kierkegaard est bien capable d'attraper quelques existentialistes et quelques mandarins français qui ont tendance à trop écrire et qu'on a tendance à trop publier – que ce passage, donc, est capable de les attraper avec leurs… enfin, oui, de leur faire une petite surprise[1]). Je ne pense pas vraiment

---

1. Cette calomnie offensive est totalement *répréhensive*, mais le fait que le grand Kierkegaard n'a jamais été un kierkegaardien,

qu'il soit nécessaire d'avoir des raisons contraignantes pour citer les auteurs que l'on aime, mais il n'est jamais déplaisant, je vous l'accorde, d'avoir ces bonnes raisons de force toujours majeure. Dans le cas qui nous occupe, il me semble que ces deux passages, surtout placés ainsi l'un à la suite de l'autre, sont merveilleusement représentatifs de ce que j'appellerai, en un certain sens, le meilleur, non seulement de Kafka et de Kierkegaard, mais des quatre grands morts, des quatre malades aux renommées si diverses, des quatre célibataires asociaux (seul Van Gogh, parmi ces quatre morts vraisemblablement, ne nous rendra pas une petite visite au cours de ces pages, qu'on veuille bien l'en pardonner) auxquels j'ai si souvent recours, parfois même dans ces cas très graves, lorsque je recherche des renseignements dignes de foi sur les procédés artistiques modernes. D'une façon générale, j'ai reproduit ces deux passages pour tenter de suggérer très simplement quelle est ma position par rapport à l'énorme masse de documentation que j'espère rassembler ici, chose à propos de laquelle, dans certains milieux, je ne crains absolument pas de le dire, un auteur ne saurait s'expliquer ni trop explicitement ni

---

et moins encore un existentialiste réjouit sans fin un cœur d'intellectuel orthodoxe qui ne manque jamais de réaffirmer sa foi en une justice poético-cosmique, sinon en un saint Nicolas cosmique.

trop prématurément. Cependant, à d'autres égards (moins importants sans doute) il serait agréable pour moi de penser – de rêver – que ces deux brèves citations peuvent très facilement servir de... disons, de repère, pour la race relativement nouvelle de critiques littéraires – ces nombreux ouvriers (ces soldats, pourriez-*vous* dire, il me semble) qui travaillent pendant de si longues heures, et souvent en voyant diminuer chaque jour leurs espoirs d'être distingués de la foule, dans nos actives cliniques néo-freudiennes des Arts et des Lettres. Ces citations seraient particulièrement utiles, peut-être, à ces très jeunes étudiants et à ces psychiatres plus jeunes encore, éclatants de bonne santé mentale, absolument libres (cela me semble indéniable) de tout attrait morbibe et secret pour la beauté, qui ont l'intention de se spécialiser en pathologie esthétique. (J'avoue que c'est là un sujet sur lequel j'ai toujours été impitoyable depuis mes onze ans, et depuis que j'ai vu l'artiste et le Malade que j'ai le plus aimé en ce monde – il était alors encore en culottes courtes – se faire examiner pendant six heures quarante-cinq minutes par un groupe de freudiens professionnels très réputés.) À mon avis (c'est un avis qui n'est pas entièrement digne de foi), ils se sont arrêtés juste avant qu'il ne leur crache son cerveau au visage, et j'ai nettement l'impression depuis des années que seule l'heure tardive – 2 heures du matin – les dissuada d'aller aussi loin. Je suis donc impitoyable et je ne cherche nullement à m'en cacher ici, bien au contraire. Mais je ne tiens pas à être grossier. Je sens bien que c'est là une ligne de conduite très délicate à tenir, une planche de salut bien étroite, mais j'ai envie de marcher dessus une minute encore ; prêt ou non, j'ai attendu des années pour rassembler en moi ces sentiments et leur donner libre cours. Toute une foule de bruits et de rumeurs, c'est évident, circulent partout à propos de l'artiste réellement, sensationnellement créateur – je ne fais allusion ici qu'aux peintres, aux poètes et aux *Dichter* à part entière. L'une de ces rumeurs – c'est à mes yeux la plus réconfortante de toutes – c'est que l'artiste créateur n'a jamais, même au Moyen Âge de la prépsychanalyse, vénéré profondément ses critiques professionnels et même qu'il les a souvent mis dans le même sac, avec sa conception de la société si fréquemment malsaine, que les mauvais éditeurs et les marchands de tableaux et tous les autres *suiveurs*, riches à faire envie, des arts qui (l'artiste créateur l'admet parfois, dit-on) préféreraient un travail différent et plus propre si c'était à leur portée. Mais, me semble-t-il, ce qu'on entend, du moins à l'époque moderne, le plus fréquemment dire sur le poète-étrangement-productif-bien-que-malade ou sur le peintre de même espèce, c'est qu'il est invariablement une sorte de névrosé surdimensionné, mais absolument « classique », un égaré qui ne souhaite qu'occasionnellement, et jamais, en profondeur, revenir dans le droit chemin ; ou bien, pour parler comme les Anglais, un malade dont on ne peut pas dire qu'il n'a pas l'habitude, bien qu'il le nie puérilement, ainsi qu'on le rapporte, d'émettre de grands cris de douleur, comme s'il tentait, de toutes ses forces, de rejeter, de laisser aller, de laisser partir en même temps son âme et son art pour faire l'expérience de ce qui se passe, chez les autres, pour du bien-être ; et pourtant (les rumeurs le disent) lorsqu'on force la porte de sa petite chambre insalubre, lorsque quelqu'un (et c'est d'ailleurs assez souvent quelqu'un qui l'aime vraiment) lui demande avec passion où est localisée sa douleur, ou bien il refuse ou bien il semble incapable d'en parler assez longuement pour que de la discussion jaillisse quelque lumière clinique ; et le matin, lorsque les grands poètes et les grands peintres eux-mêmes doivent se sentir un peu grincheux, il semble encore plus décidé (perversement décidé) que jamais à laisser sa maladie suivre son cours, comme si, à la lumière d'une nouvelle journée de travail (il faut bien supposer que c'est une journée *de travail*), il s'était souvenu que tous les hommes, les hommes sains y compris, finissent par mourir et en général avec une mauvaise grâce remarquable, mais que *lui*, l'heureux homme, est au moins en train d'être vaincu par le compagnon le plus stimulant – même si c'est une maladie – qu'il ait jamais connu. Dans l'ensemble, aussi dangereuse que puisse apparaître cette assertion, venant de moi qui ai justement eu dans ma famille un de ces grands artistes décédés auxquels j'ai fait constamment allusion dans cette quasi-polémique, je ne vois pas comment l'on pourrait déduire raisonnablement que cette dernière rumeur n'est pas fondée sur une quantité considérable de faits vrais. Pendant que mon distingué parent vivait, je l'ai observé – presque littéralement, je le pense parfois – comme un faucon. Selon toutes les définitions logiques, c'*était* un spécimen malsain et, pendant ses après-midi et ses nuits les plus mauvaises, il poussait vraiment des cris de douleur, mais aussi des appels au secours, et lorsque cette aide nominale se présentait, il refusait vraiment de dire en langage intelligible où il avait mal. Cependant, je persiste à ne pas tomber d'accord avec les experts déclarés en ces matières – les érudits, les biographes, et spécialement l'aristocratie intellectuelle dominante du jour, celle qui a fait ses classes dans l'une ou dans l'autre des grandes écoles psychanalytiques – et je dis ceci avec une certaine acrimonie – sur *ceci* : ils n'écoutent pas comme il convient les cris de douleur lorsqu'ils les entendent. Ils en sont évidemment incapables. Ils forment une paire d'oreilles en fer-blanc. Avec un équipement si mauvais, avec ces oreilles-là, comment pourrait-on suivre le mal, par le seul son et la seule qualité, jusqu'à sa source ? Avec un équipement auditif aussi mauvais, ce qu'on peut détecter de mieux, je crois, et vérifier le mieux, ce sont quelques accents plus stridents, égarés – pas jusqu'au contre-point en tout cas – qui remontent d'une enfance troublée ou d'une libido malade. Mais d'où vient donc la masse de la douleur, une masse qui remplirait une ambulance ? D'où *doit*-elle nécessairement venir ? Le vrai peintre et le vrai poète ne sont-ils pas des prophètes ? Ne sont-ils pas en réalité les seuls prophètes que nous ayons sur cette terre ? En tout cas, ce n'est pas, selon toutes les apparences, le savant, et ce n'est pas, *pas du tout*, le psychiatre. (Il fait peu de doute que le seul grand et vrai poète qu'aient eu les tenants de la psychanalyse a été Freud lui-même ; il avait ses petits ennuis d'ouïe personnels, c'est certain, mais, à moins d'être égaré par la passion, qui pourrait nier qu'il ait été un véritable poète ?) Pardonnez-moi. J'en ai presque fini. Chez un prophète, quelle partie du corps serait nécessairement requise pour recevoir les plus grandes injures ? Ne dit-on pas prophète ou voyeur ? Alors : les *yeux*, naturellement. S'il vous plaît, mon cher lecteur moyen, pour me faire plaisir une dernière fois (si vous n'êtes pas encore sorti) relisez les deux citations de Kafka et de Kierkegaard par lesquelles j'ai commencé ce récit. N'est-ce pas *clair* ? Ces cris ne sortent-ils pas tout droit des yeux ? Même si le rapport du magistrat instructeur est contradictoire – qu'il conclue en faveur de la Tuberculose, de la Solitude ou du Suicide – la manière dont meurt le véritable artiste-prophète n'est-elle pas claire ? Je dis (et tout ce qui suit dans ces pages, vraisemblablement, ne résistera à l'examen que si j'ai *presque* raison ici) – je dis que le véritable artiste-prophète, le sot céleste qui peut produire de la beauté et en produit, est principalement ébloui jusqu'à en mourir par ses propres scrupules, par les formes et les couleurs aveuglantes de sa propre conscience sacrée d'homme.

Voilà déclarée ma foi, affirmé mon credo. Je m'assieds. Je soupire de bonheur, je le crains. J'allume une Murad et je poursuis mon chemin, si Dieu me prête vie, vers d'autres sujets.

Quelques mots maintenant – rapides, si j'en suis capable – sur ce sous-titre, « Une présentation », inscrit presque au centre de la toile de ma tente. Mon personnage principal, du moins pendant les moments où je pourrai me forcer à rester assis et à garder mon calme, sera feu mon frère aîné, Seymour Glass qui (je crois que je préférerais pouvoir expliquer cela en une seule phrase du style des faire-part nécrologiques), à l'âge de trente et un ans, en Floride, se suicida en 1948 pendant ses vacances avec sa femme. Pendant sa vie, Seymour compta énormément aux yeux de beaucoup de gens, et il tint le premier rôle devant ses frères et sœurs dans notre famille trop nombreuse. Pour nous, il incarna divers personnages *réels* : il fut notre licorne rayée de bleu, notre miroir ardent à double lentille, notre génie-conseil, notre conscience portative, notre subrécargue et notre unique vrai poète, et, chose inévitable, je pense, puisque non seulement la réticence ne fut jamais sa tendance la plus forte, mais qu'il passa sept années de son enfance comme vedette d'une émission de jeux radiophoniques, de sorte qu'il ne prononça guère de paroles qui ne fussent diffusées, d'une façon ou d'une autre – chose inévitable, je pense, il fut aussi notre « mystique » le plus notoire et notre « déséquilibré ». Et puisqu'il est manifeste que je commence déjà à dérailler en ce début de mon récit, autant que j'énonce, si du moins l'on peut énoncer et crier en même temps, qu'avec ou sans idées de suicide en tête, il fut la seule personne avec laquelle je me sois bien entendu et promené qui, en règle générale, cadrât avec l'idée que je me faisais – idée classique – d'un *mukta*, d'un homme éclairé, illuminé, d'un homme qui connaît Dieu. En tout cas, son personnage ne prête à aucun des raccourcis littéraires que je connaisse, et je ne vois personne, moi-même moins que tout autre, qui serait capable de lui expédier son portrait en quelques lignes, ou même en quelques séances de pose très peu étudiées, espacées de mois en mois ou d'année en année. J'en viens à ce que je voulais dire : à l'origine, je comptais remplir ce vaste espace de papier blanc par une nouvelle sur Seymour que j'aurais intitulée « Seymour I », ce grand « I » servant pour ainsi dire de salle de bains-W C tout équipée à moi, Buddy Glass, plus encore qu'au lecteur, qui, comme moi, se fût rappelé au bon moment et avec une force suffisante que d'autres nouvelles (un Seymour II, III, et peut-être même IV) devaient logiquement suivre. Ces plans originaux n'existent plus. Ou du moins, s'ils existent – et je soupçonne que c'est vraisemblablement la vérité –, ils se sont cachés dans les caves et les souterrains, non sans se dire, et avec raison peut-être, que je frapperai trois coups quand je serai prêt. Dans les circonstances présentes, cependant, mon frère étant concerné, je puis jouer tous les rôles, sauf celui d'auteur de nouvelle. Ce que je *suis*, me semble-t-il, c'est un recueil de remarques sans ponctuation, de remarques dignes de figurer en préface seulement, et concernant mon frère. Je suis convaincu que je reste avant tout ce que j'ai toujours été : un narrateur, mais un narrateur qui a des besoins personnels extrêmement pressants. Je veux présenter, je veux décrire, je veux distribuer des mémentos, des amulettes, je veux déchirer mon portefeuille et faire passer à la ronde des photos, je veux suivre mon flair. Dans cet état d'esprit, je n'ose pas m'approcher, si peu que ce soit, de la forme de la nouvelle. Elle dévore tout cru les petits auteurs grassouillets qui écrivent tout à la suite, comme moi.

Mais j'ai beaucoup de choses malheureuses à vous dire. Par exemple, que je dis et que je classe tous ces faits concernant mon frère bien trop tôt. Je pense que vous avez *dû* le remarquer. Vous avez peut-être remarqué aussi – je sais que cela ne m'a pas échappé, en tout cas – que tout ce que j'ai dit jusqu'ici à propos de Seymour (et à propos des gens de son genre en général) a été extrêmement laudatif. Cela me fait beaucoup hésiter. À supposer que je sois venu ici non pas pour enterrer, mais pour exhumer, et même, plus vraisemblablement encore, pour faire un éloge constant, je devine néanmoins que l'honneur des narrateurs froids et dépourvus de passion est d'une certaine façon ici en jeu. Seymour n'avait-il nul défaut pervers, nul vice, nulle faiblesse qu'on pourrait recenser, du moins à la hâte ? Et qu'était-il, d'abord ? un *saint* ?

Dieu merci, rien ne m'oblige à répondre à cette question. (C'est mon jour de chance !) Changeons de sujet et disons sans hésitation qu'il avait autant de caractéristiques particulières qu'il y a de variétés de sauces Heinz, et que ces caractéristiques menaçaient, à des intervalles de sensibilité et de mauvaise humeur chronologiquement espacés, de pousser à boire tous les enfants mineurs de notre famille. Pour commencer, il y a déjà une caractéristique plutôt épouvantable et que partagent tous ceux qui cherchent Dieu, généralement avec beaucoup de succès apparent, dans les endroits les plus étranges, par exemple chez les présentateurs de jeux radiophoniques, dans les journaux, dans les taxis aux compteurs truqués, littéralement *partout*. (Pour ne rien passer sous silence, je dois dire que mon frère eut, pendant presque toute sa vie d'adulte, une habitude extravagante : il fouillait les cendriers remplis avec l'index et repoussait les mégots et les cendres sur les rebords du cendrier, sans cesser de sourire de toutes ses dents, comme s'il s'était attendu à trouver le Christ lui-même recroquevillé comme un chérubin au milieu du cendrier ; en tout cas, il n'avait jamais l'air déçu.) La caractéristique de tous les hommes au tempérament religieux très poussé, de tous les membres des Églises non dissidentes et de tous les autres (j'inclus gracieusement dans la définition de « ces hommes au tempérament religieux très poussé », aussi détestable que soit cette expression, tous les chrétiens tels que les définit le grand Vivekananda : « Si vous voyez le Christ, vous êtes chrétien ; tout le reste n'est que du bavardage. ») – leur caractéristique la plus commune, dis-je, c'est qu'ils se conduisent généralement comme des sots, sinon comme des imbéciles. Pour une famille qui a la chance d'en compter un parmi ses membres, c'est une épreuve pénible de n'être jamais assuré qu'il se conduira comme le sot ou l'imbécile qu'il est. Je vais incessamment interrompre cette longue série de descriptions, mais je ne puis le faire sans avoir cité ce que je considère comme son trait le plus personnel. Il concernait ses habitudes d'expression, ou, plutôt, leur portée inhabituelle. En paroles, il était soit aussi peu disert que le portier d'une Trappe – parfois pendant des jours ou des semaines entières – soit aussi bavard qu'une pie. Lorsqu'il était « remonté » (et, pour être précis, je dois dire que tout le monde passait son temps à le remonter, puis à s'asseoir le plus près possible de lui pour lui ratisser les méninges le mieux possible), lorsqu'il était « remonté », parler des heures sans s'arrêter ne le gênait pas le moins du monde, et il n'avait alors même pas conscience, ce qui eût pu lui servir d'excuse, qu'il y avait une autre personne, deux, ou même dix autres dans la pièce. C'était un bavard inspiré et permanent, je le suggère sans hésiter, mais pour dire les choses avec *infiniment* de douceur, même le bavard le plus inspiré du monde ne peut plaire toujours. Si je dis cela, il faut que je m'en explique : ce n'est pas tant poussé par une envie splendide et ignoble à la fois de jouer franc-jeu avec mon lecteur invisible, que parce que je suis convaincu – ce qui est bien pire – que ce bavard permanent dont nous parlons peut encaisser pratiquement n'importe quel coup. Du moins, ceux qui viennent de moi. Je suis sans doute le seul être au monde qui puisse appeler mon frère, d'entrée de jeu, *un bavard permanent* – ce qui est assez injurieux, il me semble – et qui puisse aussi, et en même temps, s'asseoir calmement, comme un type qui aurait mis l'as d'atout dans sa manche, et me souvenir sans faire le moindre effort de toute une cohorte de circonstances atténuantes (atténuantes n'est d'ailleurs pas encore le mot exact). Ces circonstances, je puis les résumer en une seule. Voici : à l'époque où Seymour avait seize ou dix-sept ans, non seulement il avait déjà acquis la maîtrise parfaite de sa langue maternelle, de ses nombreux, de ses innombrables maniérismes glanés dans la sous-élite new-yorkaise, mais il avait déjà créé son propre vocabulaire, un vocabulaire de poète. Ses conversations, ses monologues, ses quasi-harangues, devinrent alors presque aussi agréables, du début à la fin – pour bon nombre d'entre nous du moins – que, par exemple, l'ensemble de l'œuvre de Beethoven lorsque le Maître cessa d'être encombré inutilement par un sens de l'ouïe ; je pense même ici tout spécialement, bien que cela puisse paraître un peu délicat à dire, aux quatuors en *si* bémol majeur et en *do* dièse mineur. Nous étions malheureusement à l'origine une famille de sept enfants. Et il se trouvait aussi qu'aucun d'entre nous n'était spécialement muet. Lorsque six grands bavards naturels, si grands verbalisateurs ont chez eux un parleur-champion absolument imbattable dans sa catégorie, cela donne à réfléchir. Il est vrai qu'il n'a jamais sollicité le titre. Il est vrai également qu'il souhaitait passionnément voir l'un d'entre nous l'emporter sur lui par la force d'un argument ou par un souffle plus long dans une discussion ou une conversation. Chose qui, naturellement, bien qu'il ne s'en fût jamais aperçu – il avait lui aussi ses petits défauts – nous inquiétait d'autant plus. Il reste en tout état de cause que le titre de champion lui appartint toujours, et il eut beau être prêt à donner tous ses biens terrestres pour s'en débarrasser – c'est ici qu'on touche au cœur du problème, mais je ne serai disposé à l'explorer sérieusement que dans quelques années – jamais il ne trouva une manière gracieuse de s'en tirer.

Au point où nous en sommes, je ne juge nullement « familier » de vous dire en passant que j'ai déjà écrit quelque chose sur mon frère. Il suffirait même qu'on me pousse avec quelque gentillesse à aller plus loin sur la voie des aveux pour que j'admette qu'il y a eu rarement une époque de ma vie pendant laquelle je n'ai pas écrit sur Seymour ; j'ajoute que si l'on me tenait en respect et qu'on m'ordonnât dès demain matin d'écrire une histoire à propos d'un dinosaure, je suis sûr que je donnerais par inadvertance à cette grosse bête deux ou trois caractéristiques de Seymour – par exemple, une façon particulièrement sympathique de mordiller le haut d'un sapin ou de faire frétiller sa queue de dix mètres. Des gens – ce ne sont pas du tout des amis *intimes* – m'ont demandé si le jeune héros de l'unique roman que j'ai publié jusqu'ici n'était pas un portrait tout craché de Seymour. À vrai dire, ces gens ne me l'ont pas demandé ; ils me l'ont *dit*. Je me suis aperçu que toutes mes protestations me mettaient dans un état nerveux très pénible, mais je dirai néanmoins ici qu'aucun de ceux qui ont bien connu mon frère ne m'ont demandé ou dit quoi que ce soit de la sorte, ce dont je leur suis très reconnaissant et qui m'impressionne même à bien des égards énormément,

puisqu'un bon nombre de mes personnages princi-
paux parlent couramment le manhattanais et en possèdent tous les idiomes, ont un chic peu commun pour
mettre les pieds dans les plats sur lesquels la plupart
des imbéciles n'oseraient jamais s'avancer, et sont,
d'une façon générale, poursuivis par une entité que je
préfère de beaucoup identifier – *grosso modo* – comme
le Vieil Homme de la Montagne. Mais ce que je puis et
dois dire ici, c'est que j'ai écrit et publié deux nouvelles qui devaient avoir directement Seymour pour
sujet. La plus récente des deux, parue en 1955, était un
compte rendu exhaustif de son mariage, qui eut lieu en
1942. Les détails étaient servis tout chauds et avec une
intégrité étonnante – c'est tout juste si l'on n'offrait pas
au lecteur un moulage en plâtre du pied de chacun des
invités pour l'emporter comme souvenir – mais Seymour lui-même, le plat de résistance en l'occurrence,
n'apparaissait physiquement nulle part. Par ailleurs,
dans l'autre nouvelle, écrite il y a bien plus longtemps,
vers la fin des années quarante, non seulement il apparaissait, mais il marchait, parlait, allait se baigner dans
l'océan, et se tirait une balle dans la cervelle au dernier
paragraphe. Cependant, plusieurs membres de mon
immense famille proche, qui épluchent régulièrement
ma prose (celle qui est publiée) pour y découvrir de
petites fautes techniques (ils le font bien trop gentiment, puisqu'ils se jettent généralement sur moi en
tant que grammairiens), m'ont fait remarquer que le

jeune homme, le « Seymour », celui qui marchait et parlait dans cette nouvelle des premiers temps – pour ne pas parler ici de l'usage qu'il faisait du revolver –, que ce Seymour, dis-je, n'était pas du tout Seymour, mais, chose étrange, un personnage qui ressemblait énormément à… désolé, je n'y puis rien, *à moi-même*. Ce qui, je pense, est vrai, et ce qui me fait aussi ressentir une certaine honte dans mon cœur d'honnête artisan. Ce genre de *faux pas* a beau ne pas avoir d'excuse sérieuse, je ne puis m'empêcher de souligner ici que la nouvelle dont il s'agit a été écrite deux mois à peine après la mort de Seymour, et peu après que moi-même, tout comme le « Seymour » de l'histoire, et le Seymour de la vie réelle, fus revenu du théâtre européen d'opérations. J'utilisais alors une machine à écrire allemande, à peine réhabilitée, pour ne pas dire mal équilibrée.

Oh, ce bonheur est comme un alcool violent. Il est merveilleusement libérateur. Je suis libre, me semble-t-il, de vous dire exactement ce que vous mourez d'envie de vous entendre dire maintenant. C'est-à-dire que, si, comme je le sais, vous aimez par-dessus tout en ce monde ces petits êtres faits d'esprit pur dont la température normale voisine 125 °, il s'ensuit naturellement que la créature que vous chérissez le plus ensuite est la personne – aimant Dieu ou le détestant, sans jamais passer, semble-t-il, par un stade intermédiaire, sainte ou débauchée, moraliste ou complètement immoraliste – qui peut écrire un poème qui *est* un poème. Parmi les êtres humains, c'est le courlis chevalier, et je me hâte de vous dire le peu que j'ai l'audace de connaître sur ses vols, sa température et son incroyable cœur.

Depuis le début de 1948, je suis resté assis – ma famille prend ce mot dans son sens littéral – sur un carnet à feuillets détachables habité par cent quatre-vingt-quatre courts poèmes écrits par mon frère pendant les trois dernières années de sa vie, à la fois à l'armée et dans la vie civile, mais presque tous à l'armée, hélas, oui, bien dedans. J'ai l'intention de me séparer prochainement – ce n'est qu'une question de jours ou de semaines, je me le redis sans cesse – d'environ cent cinquante de ces poèmes, et de laisser le premier éditeur qui possédera un complet de ville bien repassé et une paire de gants gris très propres les emporter sans attendre vers ses presses ombreuses, où on les comprimera vraisemblablement dans une couverture en deux tons à laquelle ne manquera pas le rabat où seront imprimées quelques remarques « d'acceptation » étrangement amères, arrachées, après force sollicitations, à ces écrivains et poètes en renom qui ne jugent nullement déplacé de faire des commentaires publics sur les œuvres de leurs confrères (ils réservent généralement leurs éloges beaucoup plus acides pour leurs amis, leurs inférieurs ou ceux qu'ils soupçonnent être tels, les étrangers, les oiseaux de nuit et tous ceux qui peinent dans un domaine différent du leur) ; ces quelque cent cinquante poèmes iront ensuite se faire remarquer dans les pages littéraires des journaux du dimanche où, s'il y a de la place, si le critique de la biographie nouvelle, complète et *définitive* de Grover Cleveland ne dépasse pas son nombre de signes habituel, ils seront brièvement présentés au public amateur de poésie par l'une des petites bandes de pédants mal payés, d'académiques et de crève-la-faim dont on peut être certain qu'ils ne rendront compte des nouveaux livres de poésie ni avec sagesse, ni avec passion (du moins, cela n'est pas nécessaire), mais avec brièveté. (Je ne crois pas que je laisserai encore libre cours à mon amertume de la même manière dans ce livre. Mais si je me laissais aller, je m'efforcerais d'être très transparent.) Et maintenant, si l'on veut bien considérer que je suis assis depuis quatre ans sur ces poèmes, il serait peut-être bon – normal, rafraîchissant, absolument pas pervers, en tout cas – que je donne ce qui forme pour moi les deux raisons essentielles pour lesquelles j'ai choisi de me lever et de les quitter. Et je préférerais lâcher ces deux raisons-là dans le même paragraphe, en un seul colis, en partie parce qu'il me plaît de les voir rester proches et en partie aussi parce que je pense, un peu prématurément peut-être, que je n'en aurai plus besoin pendant ce voyage.

D'abord, il y a la pression familiale. C'est sans nul doute chose très commune, sinon plus commune encore que je l'aimerais, mais j'ai quatre frères et sœurs vivants et lettrés, plus jeunes que moi, plutôt bavards incontinents, d'extraction mi-irlandaise, mi-juive, et peut-être aussi mi-minotaure ; il y a deux garçons. L'un, Waker, est un moine-reporter entré chez les chartreux, et l'autre, Zooey, un acteur non conformiste non moins vigoureusement appelé et élu, et ils sont âgés respectivement de trente-six et vingt-neuf ans. Il y a deux filles. L'une, Franny, est une jeune actrice pleine de talent, et l'autre, Boo Boo, une infirmière-chef fantasque et solvable à l'hôpital de Westchester, et elles sont âgées respectivement de vingt-cinq et trente-huit ans. Presque sans interruption depuis 1948, du séminaire et de la pension, du département d'obstétrique de l'hôpital de la femme et de la pièce réservée aux étudiants faisant partie d'un groupe de boursiers d'échange, sous la ligne de flottaison du *Queen Elizabeth* et, pour ainsi dire, entre des examens, des générales, des matines et le biberon de deux heures, ces quatre dignitaires ont envoyé par la poste toute une série d'ultimatums inavoués mais très nettement menaçants, dans lesquels ils me font savoir ce qui m'arrivera si je ne fais rien, et très vite, pour les poèmes de Seymour. Je devrais souligner, peut-être immédiatement, que, outre ma profession d'écrivain, j'enseigne à mi-temps l'anglais dans un collège féminin perdu au nord de l'État de New York, presque à la frontière canadienne. Je vis seul (mais sans chat, je tiens à ce que cela se sache) dans une maison absolument modeste, pour ne pas dire très misérable, située au cœur des bois, et sur le flanc le plus inaccessible d'une montagne. Les étudiants, mes collègues et les serveuses d'âge mûr exclues, je vois très peu de monde pendant la semaine de travail, ou l'année de travail. J'appartiens donc, en un mot, à l'espèce de reclus littéraire qui, je n'en doute pas, peut être brutalisé ou poussé à l'action par lettre. Mais tout le monde a un point de saturation, et je ne suis plus capable, désormais, d'ouvrir ma boîte aux lettres sans trembler énormément à la pensée de découvrir, nichée parmi des prospectus publicitaires d'outillage agricole et les extraits de tenue de mon compte en banque, une carte postale comminatoire, familière et interminable, expédiée par l'un ou l'autre de mes frères et sœurs, dont deux seulement – la remarque vaut la peine d'être faite – utilisent des stylos à bille. Ma seconde raison pour me résoudre à me séparer de ces poèmes, à les faire publier apparaît à certains égards beaucoup moins émotionnelle que physique. (Et elle mène droit – je suis fier de le dire ici – aux bas-fonds fangeux de la rhétorique.) Les effets des particules radioactives sur le corps humain, si fort à la mode dans les conversations en 1959, n'ont rien de neuf pour les vieux amateurs de poésie. Utilisé avec modération, un vers de très bonne qualité constitue une forme de cure de chaleur excellente et généralement très rapidement efficace. À l'armée, alors que j'avais depuis trois mois ce que l'on peut qualifier de pleurésie ambulatoire, je ressentis pour la première fois un véritable soulagement après avoir placé dans la poche de ma chemise un petit poème de Blake à l'air parfaitement inoffensif, que je portai ainsi, comme un cataplasme, toute une journée. Les extrêmes, hélas, sont toujours pleins de risques et même, en règle générale, très nocifs, de sorte que les effets d'un contact prolongé avec une espèce de poésie qui paraît dépasser de loin ce que nous connaissons d'excellent sont presque toujours considérables. De toute façon, je serais soulagé de voir les poèmes de mon frère écartés, même pour quelque temps, de cette région à tant d'égards si étroite. Je me suis brûlé, au premier degré seulement, mais sur une grande surface. Et j'ai pour cela les meilleures raisons du monde : pendant une bonne partie de son adolescence et presque toute sa vie d'adulte, Seymour a été attiré, d'abord, par la poésie chinoise, puis tout aussi fortement, par la poésie japonaise, et ce fut une attirance telle, dans les deux cas, qu'aucune autre poésie au monde ne l'intéressa plus[1].

---

1. Puisque j'écris ici, en quelque sorte, un compte rendu, je devrais marmotter immédiatement qu'il lisait la poésie chinoise et la poésie japonaise dans le texte, du moins pour l'essentiel. Plus tard, et sans doute de façon interminable et irritante – pour moi du moins – il faudra que je parle d'une caractéristique

Il m'est naturellement impossible de savoir dans quel degré de familiarité mon cher lecteur moyen (cher et peut-être aussi bien mal traité) se trouve avec la poésie chinoise ou la poésie japonaise. Considérant

---

étrange et commune, d'une certaine façon, aux sept enfants de notre famille, et aussi prononcée, chez trois d'entre nous, qu'une déformation des jambes, caractéristique qui nous permit d'apprendre les langues étrangères sans difficulté. Mais la présente note s'adresse surtout aux lecteurs jeunes. Si, tout en accomplissant mon devoir, je parvenais à éveiller, par la bande, l'intérêt de quelques lecteurs jeunes pour la poésie chinoise et la poésie japonaise, j'en serais très heureux. Je dirai seulement, si on me le permet, aux jeunes lecteurs, qu'une quantité respectable de vers chinois d'excellente qualité a été traduite en anglais, très fidèlement et très finement, par plusieurs personnalités éminentes : Witter Bynner et Lionel Giles, pour ne citer que ceux-là, parce que leurs noms me viennent à l'esprit. Les meilleurs poèmes japonais courts – surtout le haïku, mais parfois aussi le senryu – pourront être lus avec une délectation toute spéciale lorsque R. H. Blyth en aura terminé avec eux. Blyth est parfois téméraire, ce qui s'explique quand on pense qu'il est lui-même une sorte de vieux poème distant, mais il est aussi sublime – de toute façon, qui donc cherche le sens exact dans un poème ? (Le petit morceau de pédantisme est destiné, je le répète, aux jeunes qui écrivent aux auteurs et ne reçoivent jamais de réponse de ces monstres.) Je travaille également ici, en partie du moins, pour le compte du personnage qui figure dans le titre et qui, lui aussi, le pauvre diable, fut professeur.

cependant qu'une discussion, même brève, sur cette poésie, est à même de jeter une lumière toute nouvelle sur le personnage de mon frère, je ne pense pas que le moment soit bien choisi pour moi pour faire des réticences, des cachotteries et des complots. Lorsqu'ils sont les plus efficaces, je crois, les vers chinois et japonais classiques sont des cris intelligibles qui plaisent au curieux invité à écouter aux portes, qui l'illuminent ou qui le grandissent formidablement. Ils peuvent être, et sont souvent, très agréables à l'oreille, mais je dirai que, pour l'essentiel, à moins que le point fort d'un poète chinois ou japonais soit de savoir reconnaître une bonne morsure de plaqueminier ou de crabe ou de moustique lorsqu'il en voit une, ses tripes sémantiques ou intellectuelles pourront être longues, inhabituelles, fascinantes, elles pourront produire des sons enchanteurs si on les fait vibrer, personne, je dis bien personne, dans tout l'Orient mystérieux, ne le considérera comme un poète. Ma joie intérieure, cette joie permanente que j'ai constamment, sinon à bon droit, nommée bonheur, menace de transformer tout ce texte, je le sens bien, en un monologue d'idiot. Et pourtant, je pense que, même moi, je n'aurai pas l'audace d'essayer d'expliquer ce qui fait du poète chinois et japonais une telle merveille et une telle source de joie. Mais quelque chose (ne le saviez-vous pas ?) me vient à l'esprit. (Je n'imagine pas que ce soit justement ce que j'espérais, mais on ne rejette pas une idée comme cela.) Un jour, il y a très longtemps, très long-temps, quand Seymour et moi avions respectivement huit et six ans, nos parents donnèrent une réception à une soixantaine de personnes dans nos trois pièces et demie du vieil hôtel Atamac, à New York. Ils prenaient leur retraite officielle du vaudeville et ce fut une soirée aussi émouvante que pleine d'ambiance. Nous fûmes tous deux autorisés à sortir du lit vers 11 heures du soir pour venir voir comment la réception se déroulait. Nous fîmes plus que « voir ». On nous demanda – nous acceptâmes de grand cœur – de danser, de chanter, d'abord séparément, puis ensemble, comme le font souvent les enfants de notre genre. Mais l'essentiel pour nous, ce fut que nous pûmes rester longtemps. Vers 2 heures du matin, lorsque les adieux commencèrent, Seymour demanda à Bessie, notre mère, de l'autoriser à apporter leurs manteaux aux invités qui partaient, manteaux qui étaient accrochés, posés, jetés, empilés, dans tout l'appartement, même au pied du lit dans lequel dormait notre jeune sœur. Lui et moi connaissions intimement une dou-zaine de personnes, dix autres de vue ou de réputa-tion et le reste pas le moins du monde. À l'arrivée des invités, je dois le souligner, nous étions couchés. Mais après avoir observé les invités pendant trois heures, après leur avoir souri, les avoir aimés même, Seymour, sans poser une seule question, apporta à presque tous, et à raison de deux à la fois, leurs manteaux, et leurs chapeaux à tous les hommes. (Il eut quelques ennuis avec les chapeaux des dames.) Je ne cherche pas à insinuer qu'une prouesse de cette sorte soit propre aux poètes chinois ou japonais, et je ne dis pas non plus qu'elle a fait de Seymour ce qu'il est. Mais je déclare que si un poète japonais ou chinois est incapable de dire à qui appartient tel manteau, à vue, sa poésie risque fort de ne jamais venir à maturité. Et je pense que huit ans est la limite supérieure d'âge requise pour réussir ce petit tour de force.

Non, non. Je ne puis m'arrêter maintenant. Il me semble, dans l'état où je suis, que je ne suis plus en train d'affirmer la condition de poète de mon frère ; il me semble au contraire que j'ôte, pour une ou deux minutes au moins, tous les détonateurs de toutes les sales bombes du monde – petit geste de courtoisie sans conséquence, purement temporaire et public, sans nul doute, mais geste qui m'est typiquement personnel. On admet généralement que les poètes chinois et japonais préfèrent les sujets simples et je me sentirais encore plus idiot que d'habitude si je tentais de prouver le contraire, mais le mot « simple » est justement de ceux que je déteste comme un poison puisque – du moins dans ma famille – on l'applique en général aux choses d'une brièveté choquante, à ce qui fait gagner du temps, à l'ordinaire, au vulgaire, à ce qui est abrégé. Mes phobies personnelles mises à part, je pense qu'il n'existe pas de mot, dans quelque langue que ce soit – Dieu en soit loué – pour décrire le choix qu'un poète chinois ou japonais fait d'un sujet. Je me demande qui pourrait trouver un mot pour ceci : un ministre hautain, pompeux marchant dans la cour de sa maison et repassant en esprit tous les termes d'un discours particulièrement destructeur qu'il a prononcé le matin même en présence de l'empereur, pose le pied, *avec regret*, sur un dessin à la plume et au crayon que quelqu'un a perdu ou jeté. (Que je sois damné : il y a un prosateur parmi nous, car j'ai dû utiliser les italiques là où un poète oriental ne l'eût pas fait.) Le grand Issa va nous rappeler avec joie qu'il y a une pivoine superbe dans le jardin. (Pas moins. Pas plus. Que nous allions ensuite voir nous-mêmes sa pivoine, c'est une autre affaire ; à la différence de certains prosateurs et *poétiseurs* occidentaux, que je ne puis me permettre de nommer, Issa n'exerce sur nous nulle contrainte policière.) Le seul fait de citer le nom d'Issa me convainc que le vrai poète ne choisit pas son sujet. C'est visiblement le sujet qui fait choix du poète, et non l'inverse. Une pivoine de belle allure ne se montrera à personne d'autre qu'à Issa – pas à Buson, pas à Shiki, pas même à Bashô. Avec certaines modifications prosaïques, la même règle vaut pour le ministre hautain et pompeux. Il n'osera pas écraser, avec un regret divinement humain, une feuille de papier à dessin, avant que le grand roturier, gibier de potence et poète Ti-Kao soit arrivé sur les lieux. Le miracle de la poésie chinoise et japonaise, c'est qu'une voix de vrai poète en vaut exactement une autre et qu'elle est pourtant, d'emblée, absolument différente et distincte. Tang-li nous apprend, alors qu'il a quatre-vingt-treize ans et que de toutes parts on le loue pour sa sagesse et sa charité, que ses hémorroïdes le font mourir. Un dernier exemple : Ko-huang fait remarquer, tandis que des larmes roulent sur ses joues, que feu son maître se tenait très mal à table. (On court toujours un peu le risque d'être injuste avec l'Occident. Une phrase des carnets de Kafka, une phrase parmi tant d'autres, pourrait aisément servir d'introduction à la Nouvelle Année chinoise : « La jeune fille qui, pour la seule raison qu'elle marchait bras dessus bras dessous avec son fiancé, regarda calmement autour d'elle ».) Quant à mon frère Seymour – oui, parlons de lui. Pour cet Oriental celtico-sémite, il me faut un nouveau paragraphe bien ronflant.

Officieusement, Seymour parla et écrivit de la poésie chinoise et japonaise pendant les trente et une années qu'il passa auprès de nous, mais je dirai qu'il commença officiellement à en composer un matin, alors qu'il avait onze ans, dans la salle du premier étage d'une bibliothèque publique à Broadway, près de chez nous. C'était un samedi, jour sans obligation scolaire, sans rien pour nous contraindre jusqu'au déjeuner, et nous nous amusions bien à nager et à patauger parmi les rayons de livres, cherchant de temps à autre, du bout de notre canne à pêche, quelques auteurs nouveaux, lorsqu'il me fit signe de venir voir ce qu'il avait attrapé. Il avait ferré tout un embrouillamini de vers de P'ang, la merveille du XIᵉ siècle, en traduction. Mais la pêche, dans les bibliothèques ou ailleurs, est, nous le savons, un métier difficile, où l'on ne sait jamais qui va attraper qui. (Les hasards de la pêche en général étaient l'un des sujets de conversation favoris de Seymour. Notre frère cadet Walt fut, dans son enfance, un grand pêcheur à la cuiller et il reçut de Seymour, pour son neuvième ou son dixième anniversaire, un poème qui lui causa, je crois, l'une des plus grandes joies de sa vie, un poème où il était question d'un jeune garçon qui attrape un Lafayette dans l'Hudson, qui ressent une vive douleur dans la lèvre inférieure en ramenant le poisson au moulinet, puis qui oublie tout cela pour s'apercevoir, une fois rentré chez lui, alors qu'on a mis le poisson toujours vivant dans la baignoire, que lui, le poisson, porte une casquette de serge bleue sur laquelle est cousu le même écusson scolaire que sur celle du jeune garçon : le garçon découvre sa propre marque cousue dans le revers de la casquette humide et minuscule.) Alors, depuis cette matinée-là, Seymour fut quasiment ferré. À ses quatorze ans, l'un ou l'autre d'entre nous fouillait régulièrement les poches de ses blousons et de ses vestes pour y découvrir quelques bons vers écrits pendant une heure de gymnastique ou dans la salle d'attente du dentiste. (Depuis cette deuxième phrase, une journée s'est écoulée, et dans l'intervalle j'ai pu joindre par téléphone, depuis mon lieu de travail, ma sœur Boo Boo, à Tuckahoe pour lui demander s'il reste des poèmes de l'enfance de Seymour qu'elle aimerait voir figurer dans ce compte rendu. Elle a dit qu'elle me rappellerait. Son choix s'est trouvé porté sur des sujets plus éloignés de mes objectifs actuels que je n'aurais aimé et il m'a donc un peu irrité, mais je crois que je me ferai rapidement une raison. Le poème qu'elle a choisi, je le sais, fut écrit quand le poète avait huit ans : « John Keats/John Keats/John/S'il vous plaît mettez votre écharpe. ») À vingt-deux ans, il avait une liasse entière, et pas mince du tout, de poèmes qui me semblaient très très bons et moi, qui n'avais jamais écrit de ma vie une ligne de vers sans le visualiser aussitôt en corps 12, je le poussai, avec quelque mauvaise humeur, à les soumettre à un éditeur. Non, il ne jugeait pas cette procédure possible. Pas encore ; jamais peut-être. Ses vers étaient trop non occidentaux, ils fleuraient trop le lotus. Il me dit qu'il sentait qu'ils étaient un peu agressifs. Il n'avait pas encore décidé de localiser où était l'agression, mais il sentait, à la lecture, que ces vers avaient été écrits par une sorte d'ingrat, par quelqu'un qui tournait le dos – en acte, du moins – à son propre environnement et aux gens qui lui étaient proches. Il dit aussi qu'il mangeait des aliments sortis tout droit de nos gros réfrigérateurs, qu'il conduisait nos grosses huit cylindres, qu'il utilisait sans hésiter nos médicaments, qu'il faisait confiance à l'armée américaine pour protéger ses parents et ses sœurs de la tyrannie hitlérienne et que rien, absolument rien dans ses poèmes ne reflétait cette réalité. Quelque chose allait de travers dans tout cela. Il me dit que, très souvent, après avoir achevé un poème, il pensait à Mlle Overman. Il faut dire que Mlle Overman avait été la bibliothécaire de la première bibliothèque publique de quartier que nous fréquentâmes régulièrement à New York dans notre enfance. Il devait à Mlle Overman, dit-il, une recherche difficile et soutenue d'une forme poétique accordée à ses critères personnels et cependant compatible, même à première vue, avec les goûts de Mlle Overman. Lorsqu'il eut fini de me dire cela, je lui fis remarquer avec calme et patience – c'est-à-dire, évidemment, aussi fort que je pus gueuler – ce que je considérais comme les défauts de Mlle Overman en tant que juge et même que lectrice de poésie. Il me rappela alors que, à sa première visite à la bibliothèque (seul, à l'âge de six ans), Mlle Overman, quels que fussent ses défauts en tant que juge de la poésie, avait ouvert un livre à la page d'une reproduction de la catapulte de Léonard de Vinci, l'avait placé en souriant devant lui et que ce n'était pas pour lui une joie d'achever un poème en sachant que Mlle Overman aurait du mal à le lire avec joie ou intérêt en sortant, comme ce serait vraisemblablement le cas, de son cher M. Browning ou de son non moins cher et moins explicite M. Wordsworth. La discussion – ma discussion, sa conversation – en resta là. On ne peut pas discuter avec un interlocuteur qui croit ou soupçonne passionnément que la fonction du poète n'est pas d'écrire, mais bien plutôt d'écrire ce qu'il écrirait si sa vie dépendait de son degré de responsabilité pour écrire ce qu'il devrait écrire dans un style conçu pour écarter le moins possible ses anciens bibliothécaires.

Pour les gens fidèles, patients, hermétiquement purs, toutes les choses importantes de ce monde – non pas la vie et la mort, peut-être, qui ne sont que des mots, mais les choses importantes – se travaillent et se réalisent magnifiquement. Avant sa fin, Seymour eut pendant trois ans au moins des satisfactions qui sont parmi les plus profondes qu'il est donné d'éprouver à un artisan vétéran et qualifié. Il découvrit une forme poétique parfaite pour lui, qui satisfit ses exigences poétiques les plus anciennes, et que, si Mlle Overman avait été encore de ce monde, elle eût jugée frappante, sinon grossière, et certainement « intéressante » pourvu qu'elle lui eût accordé la même attention qu'à ses vieux amoureux, Browning et Wordsworth. Ce qu'il découvrit, élucida, n'est pas facile à décrire[1]. Il

---

1. La seule chose normale et rationnelle serait de placer ici, un, deux ou même les cent quatre-vingt-quatre poèmes de Seymour, pour que le lecteur juge lui-même. Je ne le puis. Je ne suis même pas sûr que je sois fondé à en discuter. J'ai le droit de m'asseoir sur ces poèmes, de les classer, de m'en

peut être utile de dire, pour commencer, que Seymour aima sans doute le haïku japonais classique, poème de trois vers et dix-sept syllabes, plus qu'aucune autre forme poétique et qu'il écrivit lui-même – qu'il fit jaillir de ses veines – du haïku véritable (presque toujours en anglais, mais parfois aussi – j'espère que je dis ceci avec la réticence qui s'impose – en japonais, en allemand et en italien). On pourrait dire, et on le dira sans doute, qu'un poème tardif de Seymour, ressemble, en substance, à la traduction anglaise d'une sorte de double haïku, si jamais cette forme existe, et je ne crois pas que j'aimerais m'étendre sur ce chapitre, mais je suis positivement malade à l'idée qu'un professeur d'anglais quelque peu fatigué, mais toujours jeune, pourra en 1970 – ce pourrait être moi, Seigneur Jésus ! – faire un bel article pour montrer qu'un poème de Seymour est au haïku ce qu'un double Martini est à un Martini ordinaire. Et le fait que ceci soit faux n'arrêtera pas forcément un pédant s'il sait que son auditoire est convenablement chauffé et disposé. Quoi qu'il en soit, pendant que je le puis, je vais dire ce qui suit lentement et prudemment : un poème tardif de Seymour est un vers de six lignes, sans

---

occuper et même de dénicher un éditeur qui ne donne pas dans le livre de poche pour les publier, mais, pour des raisons extrêmement personnelles, la veuve du poète, qui en a la propriété, m'a interdit d'en citer ici le moindre extrait.

accentuation définie, mais en général de rythme iambique que, en partie par affection pour des maîtres japonais décédés et en partie à cause de sa pente naturelle de poète, parce qu'il avait travaillé à l'intérieur de zones restreintes et intéressantes, il a volontairement maintenu à trente-quatre syllabes, c'est-à-dire deux fois autant que dans le haïku classique. À part cela, rien dans les cent quatre-vingt-quatre poèmes qui couchent pour l'instant sous mon toit ne ressemble à grand-chose si ce n'est à Seymour lui-même. Pour le moins, l'acoustique y est aussi singulière que Seymour. C'est-à-dire que chacun des poèmes est aussi peu bruyant, aussi calme qu'il pensait qu'un poème devait l'être, mais il y a des éclats brefs et intermittents d'euphonie (à défaut d'un mot moins atroce), qui ont sur moi l'effet que produirait quelqu'un qui ouvrirait ma porte, sans être tout à fait à jeun, jouerait avec un bugle quelques notes absolument délicates et expertes dans ma chambre et disparaîtrait. (Je n'ai jamais lu auparavant un seul poète qui donnât l'impression de jouer du bugle au milieu d'un poème, encore moins d'en jouer avec maestria, et je préférerais ne rien en dire du tout. Rien du tout.) À l'intérieur de cette structure de six vers et de ces harmoniques si étranges, Seymour fait d'un poème, je crois, très exactement ce qu'il était destiné à faire. La grande majorité de ses cent quatre-vingt-quatre poèmes sont incommensurablement non pas légers, mais élevés, et ils peuvent être lus par n'importe qui, n'importe où, même à haute voix dans des orphelinats progressistes, tard le soir, par temps orageux, mais je ne recommanderais pas sans réserves les derniers trente ou trente-cinq poèmes à quiconque n'est pas mort au moins deux fois au cours de sa vie et, ce qui serait préférable, lentement. Mes favoris, si j'en ai, et j'en ai, sont les deux derniers de la collection. Je ne crois pas faire de tort à quiconque en disant de quoi ils sont faits. L'avant-dernier concerne une jeune mariée déjà mère qui a très clairement ce que mon vieux guide du mariage appelle des relations extra-maritales. Seymour ne la décrit pas, mais elle entre dans le poème au moment même où son bugle joue un air terriblement efficace, et je l'imagine sous les traits d'une jeune femme, très jolie, moyennement intelligente, exagérément malheureuse et habitant sans doute dans le voisinage du Metropolitan Museum of Art. Elle rentre chez elle tard un soir après un rendez-vous, elle est sans doute tachée de rouge à lèvres et elle est fatiguée, et elle trouve un ballon sur son dessus-de-lit. Quelqu'un a dû le déposer là. Le poète ne le décrit pas, mais ce ne peut être qu'un gros ballon d'enfant que l'on a gonflé, et qui est vert comme Central Park au printemps. L'autre poème, le dernier de la collection, concerne un jeune banlieusard veuf qui s'assied un soir sur sa petite pelouse (vêtu, le poète le laisse entendre, de son pyjama et d'une robe de chambre) pour regarder la pleine lune. Une chatte blanche qui s'ennuie, qui fait partie de la maisonnée du veuf et qui en a été la cheville ouvrière, vient le voir et se roule par terre ; il la laisse mordre sa main droite tandis qu'il regarde la lune. Ce dernier poème pourrait avoir un intérêt supplémentaire pour mon lecteur moyen pour deux raisons particulières. J'aimerais beaucoup en parler maintenant.

Comme c'est le cas pour toute poésie et tout spécialement pour toute poésie fortement influencée par celle du Japon ou de la Chine, les vers de Seymour sont tout aussi nus qu'il est possible et fort peu fleuris. Cependant, ma jeune sœur Franny, venue passer ici le week-end il y a environ six mois, fouilla par hasard les tiroirs de mon bureau et dénicha ce poème sur un veuf dont je viens d'achever de déchiffrer (criminellement) la signification ; il avait été séparé des autres pour être retapé. Pour des raisons étrangères à mon propos actuel, Franny n'avait jamais lu ce poème et elle s'empressa de combler cette lacune sur-le-champ. Plus tard, en me parlant de ce poème, elle me déclara qu'elle se demandait pourquoi Seymour avait écrit que le jeune veuf avait laissé mordre sa main *gauche* par la chatte blanche. Ce détail la tourmentait. Elle me dit que cette histoire de main gauche lui faisait penser plus à moi qu'à Seymour. Mise à part, naturellement, la pointe de calomnie qu'elle lançait contre ma manie du détail, je crois que cet adjectif lui paraissait gênant, trop explicite, non poétique. Je finis par avoir le dernier mot, et je puis vous dire que je suis fermement décidé à avoir le dernier mot avec *vous* aussi si nécessaire. Je suis persuadé que Seymour jugeait capital de préciser que c'était sa main gauche, la deuxième par ordre d'importance, que le jeune veuf avait donné à mordre aux dents pointues de la chatte blanche, gardant ainsi sa main droite libre pour se frapper le front ou la poitrine – analyse qui pourra sembler au lecteur très, très pénible à suivre. Il aura peut-être raison. Mais je sais ce que mon frère pensait des mains humaines. Il y a d'ailleurs un autre aspect non moins capital de ce problème. En faire état longuement ici pourrait sembler une faute de goût caractérisée – ce serait un peu comme si on lisait tout un manuscrit d'« Abie's Irish Rose » au téléphone à quelqu'un qu'on ne connaîtrait pas du tout – mais Seymour était à moitié juif et si je ne puis me prévaloir sur ce sujet de l'autorité du grand Kafka, je devine, après mûre réflexion (j'ai quarante ans), que tout penseur doté d'une quantité raisonnable de sang juif vit ou a vécu sur un pied d'intimité étrange, presque de connaissance réciproque, avec ses mains, et il aura beau passer des années à les laisser littéralement ou figurativement dans ses poches (et ce sera très souvent, je le crains, à la manière de deux vieux amis ou de deux parents un peu encombrants qu'il préférerait ne pas *emmener* en ville), il s'en servira pourtant, il les sortira brusquement de sa poche, en cas d'urgence, ne se privera pas de leur faire jouer un rôle capital comme c'est par exemple le cas lorsqu'il déclare très prosaïquement, au milieu d'un poème, que c'est la main gauche que le chat a mordue – et l'on peut dire que toute poésie *est* une crise, un cas d'urgence, la seule crise déclenchable que nous puissions nous attribuer en propre. (Je fais mes excuses au lecteur pour ce verbiage. Hélas, il y en aura sans doute encore.) La seconde raison pour laquelle je pense que ce dernier poème peut avoir un intérêt supplémentaire – et, je l'espère, réel – pour le lecteur moyen, c'est l'étrange force personnelle que le poète y a fait passer. Je n'ai jamais rien vu d'imprimé qui y ressemblât et je puis ajouter que, depuis ma plus tendre enfance jusqu'à trente ans bien sonnés, j'ai pourtant lu rarement moins de deux cent mille mots par jour, et le chiffre se rapprochait souvent de quatre cent mille. À quarante ans, naturellement, je me sens rarement aussi curieux, et lorsque je n'ai pas à examiner des dissertations anglaises appartenant à des jeunes filles ou à moi-même, je lis en général très peu, mis à part quelques cartes postales sévères expédiées par des parents, des catalogues de grainetiers, des bulletins de sociétés ornithologiques (de diverses espèces) et des encouragements ou vœux de bonne santé émouvants, écrits par des vieux lecteurs de mes livres qui ont appris la nouvelle fausse que j'avais passé six mois de l'année écoulée dans un monastère bouddhiste et les six autres dans une maison de santé. L'orgueil de quelqu'un qui ne lit jamais, pourtant – tout comme celui d'un grand dévoreur de livres par-devant l'Éternel –, est encore plus agressif que celui de certains lecteurs pourtant fort actifs, et j'ai donc tenté (je crois que je suis très sérieux) de conserver quelques-uns de mes plus vieux tours littéraires. L'un des plus grossiers est celui-ci : je puis généralement dire si un poète ou un écrivain écrit d'après sa propre expérience, celle d'un autre, ou celle d'un autre qui aurait passé par dix plumes différentes ; je puis dire encore s'il nous livre une matière qu'il aimerait faire passer pour de l'invention pure. Pourtant, la première fois que je lus ce poème sur le jeune veuf et la chatte, en 1948 – ou plutôt, la première fois qu'on me le lut –, je trouvais incroyable que Seymour n'eût pas enterré au moins une femme que personne ne connaissait dans notre famille. Il ne l'avait naturellement pas fait. En tout cas (les premières rougeurs viendront ici sur les joues du lecteur, non sur les miennes) pas dans cette incarnation-ci. Il n'avait pas davantage, et je connaissais le poète pratiquement sur le bout des ongles et jusque dans ses moindres replis, il n'avait pas davantage la moindre connaissance des jeunes veufs. Pour terminer par un commentaire mal inspiré sur ce chapitre, il était lui-même aussi éloigné d'être un jeune veuf que peut l'être un jeune Américain. Il reste sans doute possible qu'à certains instants, instants étranges, instants de torture, ou de joie suprême, un jeune marié – Seymour y compris, quoique je ne fasse cette supposition que pour faciliter mon exposé – réfléchit à ce que serait sa vie avec sa femme en moins (je laisse entendre ici qu'un poète de première qualité pourrait tirer une belle élégie de telles hypothèses), mais cette possibilité me semble apporter seulement de l'eau au moulin des psychologues et elle est absolument étrangère à mon propos. Mon propos – je vais faire tout ce qui est en mon pouvoir, malgré tous les imprévus courants, pour ne pas m'y étendre trop longuement –, mon propos est que plus les poèmes de Seymour semblent personnels, ou plus ils le *sont*, moins leur contenu est révélateur des faits connus de sa vie courante dans le monde occidental. Mon frère Waker affirme même (souhaitons que son prieur ne l'apprenne jamais) que Seymour, dans un grand nombre de ses meilleurs poèmes, semble s'inspirer des anciens hauts et bas de ses existences antérieures, et particulièrement mémorables dans les faubourgs de Bénarès, le Japon féodal et la capitale de l'Atlantide. Je m'arrête un instant ici pour laisser au lecteur le temps de déclarer forfait ou d'aller se laver les mains, comme tout le monde. En tout cas, j'imagine que tous mes frères et sœurs vivants tomberaient d'accord à grands cris avec Waker sur ce chapitre – deux seulement étant susceptibles de faire quelques réserves. Par exemple, l'après-midi de son suicide, Seymour écrivit un haïku pur, classique, sur le buvard du bureau de sa chambre d'hôtel. Je n'aime guère la traduction littéraire que j'en ai faite – du japonais –, mais il y parle brièvement d'une petite fille assise dans un avion avec, sur les genoux, une poupée qui tourne la tête pour regarder le poète. Une semaine environ avant d'écrire ce poème, Seymour avait effectivement pris l'avion commercial et ma sœur Boo Boo a suggéré un peu perfidement qu'il y avait peut-être une petite fille avec une poupée à bord de cet avion. Pour moi, j'en doute beaucoup. Pas forcément de prime abord, fondamentalement, mais j'en doute. Et si c'était bien là la vérité – je n'y crois pas une minute –, je parierais gros que la petite fille n'avait pas le moins du monde eu l'intention d'attirer l'attention de sa poupée sur Seymour.

Me suis-je étendu trop longuement sur la poésie de mon frère ? Suis-je trop bavard ? Oui. Oui. Je parle trop de la poésie de mon frère. Je suis trop bavard. Et cela m'ennuie. Mais mes raisons de ne pas abandonner ce sujet se multiplient comme des lapins à mesure que j'avance. Et j'ai beau, comme je l'ai déjà proclamé hautement, être un écrivain heureux, je déclare sous la foi du serment que je n'ai jamais été et ne suis pas, pour l'instant, un écrivain joyeux ; on m'a, avec beaucoup de pitié, attribué une ration très ordinaire de pensées peu joyeuses. Par exemple, l'idée ne m'est pas encore venue que, dès que je commencerai à rapporter ce que je sais sur Seymour lui-même, je ne pourrai songer en même temps à me réserver soit l'espace soit le rythme cardiaque suffisant, soit encore, dans un sens large, mais vrai, l'inclination de parler encore de sa poésie. À l'instant, chose charmante, alors que j'étreins mon propre poignet et me fais des leçons contre ma verbosité, je perds peut-être ma dernière occasion – je le pense vraiment – de proclamer définitivement, d'une voix rauque, en des termes trop courants, le rang de mon frère parmi les poètes américains. Je ne dois pas la laisser passer. La voici : lorsque je repense à la demi-douzaine (c'est un chiffre approximatif) de vrais poètes originaux que nous avons dans ce pays, ou que je les réentends, quand je repense aux nombreux poètes excentriques, mais doués et – surtout à notre époque – aux innombrables pervertis du style, je suis presque convaincu que nous avons eu trois ou quatre poètes pratiquement *inextensibles* et je pense que Seymour prendra un jour place parmi eux. Pas en l'espace d'une nuit, *verstandlich – zut*[1], tout ce que vous voudrez. Je soupçonne, peut-être après une réflexion trop longue, que les toutes premières vagues de critiques condamneront ses vers par la bande en les déclarant intéressants ou très intéressants, et en laissant entendre ou en marmottant, chose bien plus grave, que ce sont des êtres minuscules,

---

1. En allemand et en français (?) dans le texte. *(N.d.T.)*

subacoustiques, qui n'ont pu réussir à faire irruption sur la scène littéraire occidentale contemporaine avec leur propre tribune transatlantique monobloc, équipée de son lutrin, de son verre et de sa cruche d'eau de mer rafraîchie. Un artiste véritable, je l'ai souvent remarqué, survivra pourtant à tous ces chocs. (Même aux louanges, je le soupçonne joyeusement.) Ceci me rappelle aussi qu'un jour, dans notre enfance, Seymour, très énervé, me tira d'un sommeil profond et je vis son pyjama jaune briller dans l'obscurité. Il avait ce que mon frère Walt appelait son air Eurêka. Il voulait me dire qu'il savait enfin pourquoi le Christ avait dit qu'il ne fallait traiter personne de sot. (Ce problème l'avait occupé toute la semaine, car il jugeait ce conseil plus dans la manière d'Emily Post[1] que dans celle d'un fils occupé aux affaires de son père.) Le Christ avait dit cela, m'expliqua Seymour qui comptait m'intéresser, parce que les sots n'existent pas. Des imbéciles, oui, pas des sots. Il pensait que cette découverte valait la peine de me réveiller, mais si je reconnais cela (je le fais d'ailleurs sans réserves), je devrai concéder que si l'on donne aux critiques de poésie eux-mêmes assez de temps, ils feront la preuve qu'ils ne sont pas des sots. À dire vrai, c'est une idée qui me semble difficile à admettre, et je suis très heureux de pouvoir passer à un autre sujet. J'ai atteint enfin la

---

1. 1873-1960, écrivain et journaliste américaine. (*N.d.T.*)

vraie tête de cette dissertation impressionnante et, j'en ai peur, quelque peu pustuleuse parfois, sur la poésie de mon frère. J'avais prévu cela dès le début. Comme je voudrais que le lecteur ait une vérité terrible à me lancer à la figure ! (Oh, vous là-bas, avec votre si enviable silence d'or…)

Une prémonition fréquente et devenue, en 1959, presque chronique, m'avertit que lorsque les poèmes de Seymour auront été largement et officiellement reconnus comme de première classe (quand ils seront empilés dans les librairies, mis au programme des cours de poésie contemporaine), les jeunes étudiants de première année produiront des carnets à la demande, en volumes simples et en volumes doubles, pour les glisser sous ma porte grinçante. (Il est regrettable que ce sujet soit venu sur le tapis, mais il est certainement trop tard pour que je puisse prétendre à une ingénuité, pour ne pas parler d'une grâce, que je n'ai nullement, et je dois révéler que ma prose, qu'on dit en forme de cœur, m'a élu au rang d'un des songe-creux les plus appréciés sur le papier depuis Ferris L. Monahan, et beaucoup de jeunes universitaires des départements d'anglais savent déjà où j'habite ; hélas, les traces de leurs pneus sur mes parterres de roses sont là pour le prouver.) D'une façon générale, je dirai sans la moindre hésitation, qu'il y a trois sortes d'étudiants qui ont à la fois le désir et la témérité de regarder aussi effrontément que possible dans n'importe quelle bouche de cheval littéraire. La première espèce est celle du jeune homme ou de la jeune fille qui aime et respecte follement n'importe quelle littérature pourvu qu'elle soit consciente et responsable et qui, si elle ne comprend rien à Shelley, s'accommodera de fabricants de produits inférieurs mais estimables. Je connais bien ces gens-là ou je crois les connaître. Ils sont naïfs, enthousiastes, vivants, ils sont souvent dans l'erreur, et ils sont toujours l'espoir de la société littéraire nantie et intéressée du monde entier. (Par une bonne fortune que je ne puis croire avoir méritée, j'ai trouvé l'un des membres de cette espèce-là, débordant de vitalité, sûr de lui, irritant, instructif, souvent charmant, dans une sur deux ou trois des classes dans lesquelles j'ai enseigné ces douze dernières années.) La seconde espèce de jeune personne qui sonne vraiment aux portes en espérant trouver des sujets littéraires souffre, et parfois orgueilleusement, d'une sorte d'académicité contractée auprès d'un quelconque des six professeurs d'anglais moderne ou des maîtres assistants à qui elle a été exposée depuis sa première année d'université. Très souvent, lorsqu'elle enseigne déjà ou s'y prépare, la maladie est si avancée qu'on doute qu'elle puisse être arrêtée, même par un homme bien doué pour s'y risquer. L'an dernier, par exemple, un jeune homme vint me parler d'un texte que j'avais écrit plusieurs années plus tôt et qui concernait essentiellement Sherwood Anderson. Lorsqu'il arriva chez moi, j'étais occupé à débiter une partie de mon bois de chauffage de l'hiver à venir avec une scie circulaire, elle-même actionnée par un moteur à essence ; il y a d'ailleurs huit ans que j'utilise cet engin, et il me terrifie encore autant qu'au premier jour. C'était alors le grand dégel de printemps – la journée était magnifique – et je me sentais un tout petit peu le fils spirituel de Thoreau (ce qui, pour moi, constituait une fête, car après treize ans de vie à la campagne, j'en suis toujours à évaluer les distances champêtres d'après la longueur des rues de New York). En un mot, l'après-midi s'annonçait très prometteur, très littéraire peut-être même, et je me souviens que j'espérais beaucoup obtenir que le jeune homme, avec son air à la Sawyer[1], fasse un essai avec ma scie. Il me fit l'effet d'un homme en bonne santé, pour ne pas dire d'un colosse. Mais son air trompeur faillit me coûter mon pied gauche, car entre les grincements et les sursauts de ma scie, au moment même où j'achevais un bref mais (à mes yeux du moins) très agréable éloge de Sherwood Anderson et de son style délicat et si efficace, le jeune homme me demanda – après une pause pleine de réflexion, une pause cruellement prometteuse – si je pensais qu'il y avait un

---

1. Jeu de mots intraduisible : scie se disant *saw* en anglais, *sawyer* signifiant scieur, comme le nom du héros de Mark Twain. *(N.d.T.)*

Zeitgeist endémique aux États-Unis. (Pauvre jeune homme. Même s'il prend grand soin de sa santé, il n'a guère plus de cinquante ans d'activités universitaires réussies devant lui.) La troisième espèce de personne qui viendra souvent me rendre visite ici, je crois, dès que les poèmes de Seymour auront été dûment déballés et publiés, mérite et nécessite tout un paragraphe.

Il serait absurde de prétendre que l'intérêt des jeunes gens pour la poésie est dépassé de très loin par leur intérêt pour ces détails (nombreux ou rarissimes) de la vie d'un poète que l'on peut qualifier ici, *grosso modo*, opérationnellement parlant, de lugubres. C'est pourtant là une notion, aussi absurde soit-elle, que j'aimerais bien défendre et exposer devant un public universitaire un de ces jours. Je pense en tout cas que si je demandais aux quelque soixante jeunes filles (ou devrais-je dire aux soixante jeunes filles quelconques ?) qui assistent à mes deux cours intitulés « Écrire pour être publié » et qui sont pour la plupart diplômées ou licenciées d'anglais, de me citer un vers, n'importe quel vers, d'*Ozymandias*, ou même de me résumer en quelques mots le sujet de ce poème, je doute fort que dix d'entre elles seraient à même de répondre à l'une de ces deux questions, mais je parierais toutes mes tulipes encore sous terre que cinquante d'entre elles me diraient sans hésiter que Shelley était un partisan résolu de l'amour libre, qu'une de ses femmes écrivit *Frankenstein* et qu'une autre se noya[1]. Cette idée ne me choque pas et ne m'irrite pas non plus, notez-le bien. Je ne cherche pas davantage à me plaindre. Car si personne n'est sot, je ne le suis pas non plus et j'ai bien le droit de m'apercevoir, puisque ce n'est pas le premier avril, que, qui que nous soyons, quelque chaleur qu'aient irradiée les

---

1. Il se peut que, pour le seul plaisir d'expliquer une idée, j'embarrasse ici inutilement mes étudiants. Bien des professeurs ont fait cela avant moi. Peut-être ai-je choisi un mauvais exemple en citant ce poème ? S'il est vrai, comme je l'ai méchamment sous-entendu, qu'*Ozymandias* n'a produit qu'une piètre impression sur mes étudiants, c'est peut-être à *Ozymandias* qu'il faut en imputer la responsabilité. Shelley n'était peut-être pas aussi fou qu'on l'a souvent dit. Ce qui est sûr, c'est que sa folie n'était nullement une folie du cœur. Mes étudiantes n'ignorent pas que Robert Burns buvait énormément et qu'il menait une vie de débauché, et elles en sont sans doute ravies, mais je suis certain qu'elles savent toutes que sa charrue, un jour, fit sortir d'un sillon une souris magnifique. (Est-il possible, me demandé-je, que ces « deux immenses jambes de pierre sans tronc » soient celles de Percy B. Shelley lui-même ? Est-il convenable que sa vie survive ainsi à l'essentiel de ses meilleurs poèmes ? Et si c'est le cas, est-ce parce que... Et puis, tant pis, je renonce. Mais vous, les jeunes poètes, attention ! Si vous voulez que nous nous souvenions de vos meilleurs poèmes avec autant d'émotion que de Vos Vies Si Pittoresques et Si Spéciales, alors il serait peut-être bon que vous nous donniez une souris des champs, tout excitée, à chaque strophe.)

bougies de notre dernier gâteau d'anniversaire, quelque hauteur qu'ait atteinte notre vie morale, intellectuelle et spirituelle, notre goût pour tout ce qui est lugubre, entièrement ou seulement en partie (y compris bien sûr, les commérages, vulgaires et distingués) est probablement le dernier de nos appétits charnels que nous puissions satisfaire ou maîtriser. (Mon Dieu, dans quelles divagations me suis-je jeté ? Pourquoi ne fais-je pas un emprunt direct au poète pour illustrer mon propos ? L'un des cent quatre-vingt-quatre poèmes de Seymour – qui choque au premier coup d'œil seulement, et qui est des plus réconfortants au second – concerne un vieil ascète allongé sur son lit de mort, entouré de prêtres et de disciples qui chantent des hymnes ; l'ascète, lui, fait des efforts désespérés pour entendre ce que la blanchisseuse, dans la cour, dit du linge de sa voisine. Le vieillard, Seymour le dit clairement, souhaite vaguement que les prêtres chantent moins fort.) Je m'aperçois cependant que j'éprouve les difficultés habituelles en tentant d'obliger une génération très commode à rester tranquille et docile assez longtemps pour étayer des prémisses insoutenables. Je n'aime guère faire montre de bon sens sur ce sujet, mais j'y suis bien forcé. Il me semble indiscutable que beaucoup de gens, de par le monde entier, beaucoup de gens d'âge, de culture et de dons différents, répondent avec une force toute particulière, une vibration, même, dans certains cas, aux artistes et aux poètes qui, en plus de leur réputation artistique ou littéraire, ont dans leur personnalité un élément anormal, spectaculairement anormal : un défaut de caractère, de patriotisme, une maladie ou une Mauvaise Habitude qu'on puisse traduire en termes romantiques : un égoïsme profond, une infidélité conjugale caractérisée, la surdité, la cécité, une soif dévorante, une toux mortelle, un penchant marqué pour la fréquentation des prostituées, le goût de l'adultère à grande échelle ou de l'inceste public, l'amour (déclaré ou non) de l'opium, la pratique de la sodomie, et cætera et que Dieu leur pardonne. Si le suicide ne figure pas en tête de la liste des infirmités qui font les grands créateurs, le poète ou l'artiste qui s'est suicidé a toujours attiré l'attention du public, une attention goulue, avide, et pas toujours fondée exclusivement sur des motifs sentimentaux, un peu comme s'il (le poète ou l'artiste) était (pour dire les choses bien plus grossièrement que je ne le souhaiterais) le plus abject parmi les plus abjects. Quoi qu'il en soit, c'est là une idée, *pour en terminer avec elle*, qui m'a fait perdre le sommeil maintes et maintes fois, et me le fera peut-être perdre encore.

(Comment puis-je avoir écrit ce que je viens d'écrire et rester heureux ? Je le suis pourtant. Pas joyeux, pas folâtre, absolument pas, mais mon souffle semble être à l'épreuve des crevaisons. Cela ne me rappelle qu'une seule autre personne.) Vous n'imagineriez pas quels plans immenses, excitants, j'avais conçus pour occuper cette page. Ils semblent malheureusement avoir été conçus pour embellir le fond de ma corbeille à papiers. J'avais formé le projet de relever, *ici même*, ces deux derniers paragraphes écrits vers minuit avec un ou deux mots d'esprit remplis de soleil, un couple bien assorti de ces finesses qui donnent le fou rire aux lecteurs et qui, je me plais à l'imaginer, rendent verts d'envie ou de nausée mes confrères les écrivains. J'avais l'intention, ici même, de dire au lecteur que si (ou quand) des jeunes gens viendraient me voir pour me parler de la vie et de la mort de Seymour, une étrange maladie qui m'est tout à fait personnelle rendrait ces entretiens impossibles. J'avais eu envie de dire – en passant seulement, car ceci sera un jour, je l'espère, développé interminablement – que Seymour et moi, dans notre enfance, passâmes ensemble près de sept années à répondre à des questions dans un jeu radiophonique et que, depuis que nos réponses ont été ainsi publiquement diffusées, j'en ai toujours voulu énormément aux gens qui me demandent le moindre renseignement, y compris l'heure qu'il est. Ensuite, j'avais projeté de divulguer ici qu'après treize ans passés en qualité d'assistant dans un collège universitaire, je suis maintenant, en 1959, victime d'attaques fréquentes de la maladie que mes collègues ont eu la courtoisie (je présume que c'est le cas) d'appeler la maladie Glass – en langage vulgaire, un spasme pathologique des régions lombaires et bas-ventrales qui oblige un professeur oisif à se plier en deux et à traverser les rues en courant ou à se glisser sous un meuble de grande taille chaque fois qu'il voit s'approcher de lui une personne au-dessous de quarante ans. Mais aucun de ces deux procédés ne me tirera ici de peine. Ils comportent chacun une part de vérité, de vérité tragique, mais pas assez. Car entre deux paragraphes je me suis avisé d'un fait épouvantable et impossible à taire : *je crève d'envie* de parler, d'être interrogé, d'être harcelé de questions sur cet homme. Sur ce mort. Je viens de comprendre que, mis à part mes innombrables autres motifs (des motifs moins ignobles, je l'espère beaucoup), je partage l'erreur habituelle aux survivants : croire que je suis la seule personne vivante qui ait connu intimement le défunt. Oh ! *Laissez-les venir à moi !* Les tièdes et les enthousiastes, les académiques, les curieux, les longs et les courts, et ceux qui savent tout. Qu'ils arrivent à pleins autocars, en parachute, leur Leica en sautoir. Mon esprit bourdonne de charmants discours de bienvenue. Une de mes mains se tend vers le détergent liquide, l'autre vers les tasses à thé sales. Mon œil injecté de sang s'exerce à la clarté. *Le vieux tapis rouge est sorti tout seul.*

Abordons maintenant un sujet très délicat. Un peu *grossier*, sans nul doute, mais délicat, très délicat.

Considérant que ce sujet peut fort bien ne plus être abordé avec quelque détail, sinon avec le détail souhaitable, par la suite, je pense que le lecteur devrait savoir immédiatement – et, si possible, retenir jusqu'au bout – que tous les enfants de notre famille sont descendus ou descendent d'une longue et double série extrêmement colorée d'amuseurs professionnels. Pour la plupart, génétiquement parlant ou génétiquement marmottant, nous chantons, nous dansons et (en douteriez-vous ?) nous racontons des histoires drôles. Mais je considère comme essentiel de retenir – comme le faisait Seymour, même dans son enfance – qu'il y a aussi parmi nous toute une foule de gens du cirque et, pour ainsi dire, de gens en bordure du cirque. L'un de mes arrière-grands-pères (arrière-grand-père de Seymour par voie de conséquence), pour ne donner qu'un exemple savoureux, était un très célèbre clown juif polonais nommé Zozo qui eut le goût – et cela jusqu'à sa fin dernière, on le comprendra aisément – de plonger de hauteurs immenses dans des petits baquets d'eau. Un autre de mes arrière-grands-pères (arrière-grand-père de Seymour, par voie de conséquence), un Irlandais nommé Mac-Mahon (que ma mère, grâces lui en soient éternellement rendues, ne fut jamais tentée d'appeler un bagarreur d'Irlandais) fut un homme indépendant qui avait l'habitude de disposer dans un pré deux huitaines de bouteilles de whisky vides et, lorsqu'une foule y était entrée en payant, de danser (très musicalement, nous dit-on) sur les flancs des bouteilles. (Vous me croirez donc sur parole quand je vous dis que nous avons quelques belles coques de noix creuses sur notre arbre généalogique.) Nos parents eux-mêmes, Les et Bessie Gallaher, avaient mis sur pied un numéro assez conventionnel, mais (*nous* le supposons) très bon, composé de danse, de chant et de claquettes, qu'ils jouaient dans les music-halls et les salles de vaudeville, et qui atteignit presque un très grand succès en Australie (où Seymour et moi passâmes deux ans, au total, pendant notre petite enfance), mais qui n'eut plus tard qu'une vague notoriété dans les vieilles tournées Pantages et Orpheum ici même, aux États-Unis. De l'avis d'un grand nombre de personnes, ils auraient pu continuer leur numéro beaucoup plus longtemps dans le vaudeville. Bessie avait des idées très particulières. Malheureusement. Non seulement a-t-elle toujours eu une aptitude étrange pour lire tout ce qui est écrit sur les murs – le vaudeville à deux représentations par jour était presque mort en 1925, et Bessie, en tant que danseuse et que mère de famille, était absolument opposée à jouer quatre fois par jour pour les nouveaux et florissants cinémas-music-halls – mais, chose bien plus importante, depuis son enfance à Dublin où elle avait vu sa sœur jumelle mourir en coulisses de sous-alimentation galopante, la sécurité matérielle, sous toutes ses formes, eut pour elle un attrait fatal. En

tout cas, au printemps 1925, à la fin d'une série de
représentations médiocrement suivies à l'Albee, à
Brooklyn, ses cinq enfants étant au lit avec une forte
rougeole dans trois petites pièces de l'hôtel Alamac, à
Manhattan, ayant l'impression qu'elle était de nouveau enceinte (c'était une erreur ; les deux derniers de
notre famille, Zooey et Franny, ne naquirent respectivement qu'en 1930 et 1935), Bessie fit soudain appel à
un admirateur honnête et « influent », et mon père
prit un emploi dans ce qu'il appela toujours, pendant
des années et des années, et sans craindre vraiment
d'être contredit dans notre famille, « l'extrémité admi-
nistrative de la radiodiffusion commerciale », et c'est
ainsi que s'acheva officiellement la tournée Gallaher
and Glass. Pour moi, ce que je cherche avant tout à
dire ici avec fermeté, c'est que cet héritage circo-
scénique a représenté une réalité omniprésente et très
significative dans la vie des sept enfants de notre
famille. Les deux cadets sont, je l'ai déjà dit, des
acteurs professionnels. Mais il est impossible de tirer
ici un trait de quelque épaisseur. L'aînée de mes deux
sœurs est en apparence une banlieusarde parfaite,
mère de trois enfants, copropriétaire d'un garage pour
deux voitures, mais dans tous les moments les plus
joyeux de sa vie, elle dansera littéralement sous
n'importe quel prétexte ; je l'ai vue, à mon horreur,
commencer un petit pas très quelconque (mélange de
Ned Wayburn et de ce qu'il a pris à Pat et Marion

Rooney) en tenant dans ses bras une de mes nièces âgées de cinq jours. Feu mon jeune frère Walt, qui périt dans un accident au Japon, juste après la guerre (et dont j'ai l'intention de parler le moins possible dans cette série de séances de pose, si jamais je les achève), fut lui aussi danseur, mais de façon peut-être moins spontanée et plus professionnelle que ma sœur Boo Boo. Son jumeau, notre frère Waker, notre moine, notre chartreux en clôture, lorsqu'il était enfant, canonisa en secret W. C. Fields[1], et à l'image de cet homme inspiré et bruyant, mais saint, se mit à jongler avec des boîtes de cigares, entre autres, pendant une heure entière et finit par devenir un jongleur de très bonne qualité. (On murmure dans notre famille qu'il fut, à l'origine, relevé de ses fonctions de prêtre séculier à Astoria pour le soulager d'une tentation persistante, qui le poussait à administrer la sainte hostie à ses paroissiens en se tenant à deux ou trois pas d'eux et en faisant décrire à l'hostie une courbe savante et gracieuse par-dessus son épaule gauche.) Quant à moi – je préfère parler de Seymour en dernier lieu – je suis certain qu'il va sans dire que je danse un peu aussi. Sur demande, bien sûr. En outre, je pourrais dire que j'ai souvent l'impression d'être observé, même si c'est irrégulièrement, par mon arrière-grand-père Zozo ; je sens qu'il m'aide mysté-

---

1. Jongleur et acteur célèbre au début du siècle. (N.d.T.)

rieusement à ne pas trébucher avec mes pantalons de clown invisibles lorsque je flâne dans les bois ou quand j'entre dans un amphithéâtre, et je sens aussi qu'il veille à ce que mon nez couleur mastic soit tourné vers l'est quand je suis assis devant ma machine à écrire.

Seymour, enfin, ne vécut ni ne mourut sans être moins affecté que nous par son passé et son environnement. J'ai déjà dit, tout en restant persuadé que ses poèmes n'eussent pu être plus personnels qu'ils ne le sont ou qu'ils n'auraient pu le révéler plus complètement, qu'il les écrit un à un, même lorsque la muse de la Joie totale est assise sur ses épaules, sans renverser le moindre petit haricot autobiographique. Ce qui, sans être forcément du goût de tous, est, je le suggère, du vaudeville hautement pensé, avec, comme premier numéro traditionnel, un homme qui choisit ses mots, ses émotions, qui place un cornet d'or sur sa poitrine au lieu de l'habituelle canne de soirée, de la table en métal chromé et du verre de champagne rempli d'eau. Mais j'ai des choses bien plus explicites et révélatrices à vous dire. J'attendais avec impatience ce moment : en 1922, à Brisbane, quand Seymour et moi avions cinq et trois ans, Les et Bessie jouèrent au même programme pendant quelques semaines avec Joe Jackson – le redoutable Joe Jackson avec son tour célèbre, monté avec une bicyclette nickelée qui brillait plus fort que le platine jusqu'au dernier rang de la salle.

Bien des années plus tard, peu après le début de la Deuxième Guerre mondiale, lorsque Seymour et moi venions d'emménager dans un petit appartement de New York qui nous appartenait, notre père, Les comme je l'appellerai désormais, vint nous rendre visite un soir en rentrant chez lui, après sa partie de bésicle. Il avait visiblement manqué de chance tout l'après-midi. Il entra, en tout cas, bien décidé à garder son air raide et son pardessus. Il s'assit. Il regarda nos meubles en fronçant les sourcils. Il me retourna la main pour voir si je n'avais pas des taches de nicotine sur les doigts, puis il demanda à Seymour combien de cigarettes il fumait par jour. Il était certain d'avoir vu une mouche dans son whisky. Finalement, alors que la conversation – à mon avis, du moins – partait vers une discussion pénible, il se leva brusquement et alla regarder une photo de Bessie et de lui que nous venions d'épingler récemment au mur. Il la contempla d'un air sinistre une bonne minute, puis se retourna avec une brusquerie que personne dans notre famille n'eût jugée inhabituelle, et demanda à Seymour s'il se souvenait du jour où Joe Jackson lui avait offert, à lui, Seymour, une promenade sur le guidon de sa bicy-clette, tout autour de la scène. Seymour, assis à l'autre bout de la pièce, une cigarette à la main, dans un vieux fauteuil tapissé de velours, vêtu d'une chemise bleue, d'un pantalon gris, de mocassins aux contre-forts brisés, balafré d'une coupure de rasoir sur la joue tournée de mon côté, répondit gravement et immédiatement, et sur le ton particulier qu'il prenait toujours pour répondre aux questions de Les – comme si c'étaient les questions qu'il préférait à toutes les autres. Il dit qu'il n'était pas certain d'être jamais descendu de la belle bicyclette de Joe Jackson. Et cette réponse, mise à part son immense valeur sentimentale pour mon père, était à bien des égards, vraie, vraie, vraie.

Entre le dernier paragraphe et celui-ci, deux mois et demi exactement se sont écoulés, se sont enfuis. Je fais une petite grimace devant l'obligation de vous avoir annoncé cela, car j'ai toujours l'impression que je suis sur le point d'indiquer que j'utilise toujours une chaise quand j'écris, que je bois au moins trente tasses de café noir pendant mes heures de composition, et que, pendant mes loisirs, je me fabrique du mobilier. En un mot, ce que je vous ai annoncé, je l'ai fait avec le ton d'un homme de lettres qui expose, sans aucun plaisir, ses habitudes de travail, ses manies, et ses petites faiblesses humaines (beaucoup plus publiables) au journaliste spécialisé de la page littéraire des journaux du dimanche. Ne vous y trompez pas : je n'ai nullement l'intention de descendre à des détails aussi intimes pour l'instant. (Je me surveille de très près sur ce chapitre, soyez-en persuadés. Il me semble même que ce livre court plus que jamais le danger d'avoir la familiarité du sous-vêtement.) J'ai annoncé qu'il s'était écoulé un intervalle considérable entre deux paragraphes : c'était ma façon de dire au lecteur que je viens de me lever après neuf semaines passées au lit avec une hépatite formidable. (Vous comprenez maintenant pourquoi je parle de sous-vêtement. Cette remarque se trouve justement être un emprunt direct, presque intégral, au poème héroï-comique de Minsky. *La Seconde Banane* : « J'ai passé neuf semaines au lit avec une hépatite formidable. » Banane du haut : « Laquelle, espèce de sale chien veinard ? Elles sont toutes les deux plus fines l'une que l'autre, ces deux petites Hépatite. » Si c'est là ma meilleure garantie de bonne santé, qu'on me renvoie sans tarder dans la vallée des Affligés.) Lorsque je vous confie, comme c'est mon devoir le plus clair, que je ne suis sur pied que depuis une semaine avec mon habituel teint de pêche, le lecteur, me demandé-je, interprétera-t-il ma confidence à l'envers, et le fera-t-il de ces deux manières ? D'abord, pensera-t-il que c'est ma façon de lui reprocher de n'avoir pas inondé ma chambre de malade avec des camélias ? (Tout le monde sera soulagé d'apprendre – je ne risque guère de me tromper – que mon sens de l'humour sera tari dans moins d'une seconde.) Deuxièmement, le lecteur décidera-t-il, après lecture de mon bulletin de santé, que mon bonheur personnel – que j'ai pris tant de soin à vanter dès le début de ce livre – n'était peut-être pas un bonheur véritable, mais une simple humeur de bilieux ? Cette seconde possibilité me pose un problème extrêmement grave. Sans aucun doute possible, j'étais très heureux de travailler à cette présentation. À ma façon (c'est-à-dire sur le dos), je suis resté miraculeusement heureux pendant toute la durée de mon hépatite (lors que la seule complexité de ce mot barbare eût dû m'achever). Et je suis pour l'instant plongé dans un bonheur sans limites, je suis heureux de le proclamer. Ce qui ne revient pas à nier (j'en viens maintenant, je le crains, à la véritable raison qui m'a poussé à bâtir cette maison de verre pour mon pauvre foie) – ce qui ne revient pas à nier, je le répète, que ma maladie ne m'a pas laissé une déficience unique et terrible. Je déteste les découpages dramatiques de tout mon cœur, mais cette matière, me semble-t-il, m'oblige à ouvrir un nouveau paragraphe.

Le premier soir de la semaine dernière où je me suis senti assez agressif et assez robuste pour reprendre mon travail sur cette Présentation, je me suis aperçu que j'avais perdu non pas mon souffle épique, mais mes moyens, pour continuer à parler de Seymour. *Il avait grandi beaucoup trop pendant mon absence.* J'avais peine à le croire. Du géant encore maniable qu'il avait été avant ma maladie, il était devenu, en neuf semaines, l'être humain le plus familier qu'il m'ait été donné de connaître, la seule personne qui eût jamais été beaucoup trop immense pour se laisser enfermer sur une feuille de papier machine ordinaire

– sur le papier dont je dispose, en tout cas. Pour dire les choses sans recherche, je pris peur, et je pris peur pendant cinq nuits d'affilée. Il me semble pourtant que je dois éviter de peindre ceci sous des couleurs trop noires. Car il se trouve que la médaille, si noir que soit son revers, reste en argent. laissez-moi vous dire, sans vous donner le temps de respirer, comment ce que j'ai fait ce soir me donne l'impression que je serai demain matin au travail avec plus de conviction encore, plus d'impertinence et plus d'assurance, si c'est possible. Il y a deux heures environ, j'ai lu une vieille lettre – pour être précis, un mémorandum très long – que j'avais trouvée, un matin de 1940, sur la table du petit déjeuner. Sous un demi-pamplemousse, pour être exact. Dans une minute ou deux, j'aurai l'inexprimable (« joie » n'est pas le mot que je cherche) – l'inexprimable *vide* de reproduire ce long mémorandum mot pour mot (ô heureuse Hépatite ! Je n'ai jamais connu une maladie, ou un chagrin, ou un désastre, qui ne se terminât pas en une fleur ou en un long mémorandum. On nous demande seulement de rester en éveil. Seymour a dit un jour à la radio, quand il avait onze ans, que le mot qu'il préférait dans la Bible était : VEILLER !). Avant d'en venir à l'essentiel, cependant, il m'appartient, des pieds à la tête, de régler le sort de quelques matières incidentes. C'est une occasion que je ne puis laisser passer.

C'est sans doute un oubli grave, mais je ne crois pas avoir dit déjà que j'avais l'habitude (l'obligation, même), chaque fois que j'en avais la possibilité, et très souvent quand je ne l'avais pas, d'essayer sur Seymour l'effet de mes nouvelles dès qu'elles étaient terminées. Je veux dire que je les lui lisais à haute voix. Chose que j'accomplissais *molto agitato*, avec une pause musicale clairement indiquée pour tous les auditeurs en fin de lecture. Ce qui revient à dire que Seymour s'abstenait toujours de tout commentaire lorsque ma voix s'était tue. Au lieu de cela, il contemplait généralement le plafond cinq ou dix minutes – il s'allongeait *toujours* sur le plancher pendant mes lectures – puis se levait, frappait (parfois) du pied pour détendre une jambe engourdie, et quittait enfin la pièce. Plus tard, souvent quelques heures après, mais (par deux fois) quelques jours après, il jetait quelques notes sur un morceau de papier ou sur un carton de chemise et les laissait soit sur mon lit, soit à ma place au dîner, soit encore les expédiait par la poste. Voici quelques-unes de ses brèves critiques. (Ceci pour vous mettre en condition, je l'avoue. Je ne vois aucune raison de les cacher.)

Horrible, mais juste. Une tête de méduse très honnête.

Je voudrais bien savoir. La femme est très bien, mais le peintre semble hanté par ton ami, tu sais, celui qui avait fait le portrait d'Anna Karénine en Italie. Ce qui est une hantise honorable, la meilleure même, mais tu as aussi tes propres peintres irascibles, non ?

Je crois que tu devrais recommencer, Buddy. Le docteur est excellent, mais je crois que tu te prends à l'aimer beaucoup trop tard. Pendant toute la première moitié, il reste dehors dans le froid, à attendre que tu te prennes d'affection pour lui, alors qu'il est ton héros. Tu vois son très beau dialogue avec l'infirmière sous l'aspect d'une conversion. L'histoire aurait dû être entièrement religieuse, alors qu'elle est seulement puritaine. Je sens que tu as censuré ses « Bon Dieu ! ». Je ne suis pas d'accord. Lorsque le docteur, ou Les ou n'importe qui, met du « Bon Dieu » dans toutes les phrases, n'est-ce pas là une forme de prière inférieure ? Je ne puis croire que Dieu reconnaît la moindre forme de blasphème. C'est un mot alambiqué inventé par les prêtres.

Je suis désolé. Je n'ai pas bien écouté. Je suis désolé. La première phrase m'a mis par terre. « Menshaw s'éveilla ce matin-là avec une migraine épouvantable. » Je compte tellement sur toi pour régler leur compte à tous les Menshaw en toc qu'on voit dans les romans. Les Menshaw n'existent pas. Me la reliras-tu ?

S'il te plaît, fais la paix avec ton bel esprit. Il ne te quittera pas de toute façon, Buddy. Le jeter par-dessus bord sans réfléchir serait aussi stupide et aussi peu naturel que de ne plus mettre un seul adjectif dans tes textes, ni un seul adverbe parce que le professeur B… te le demanderait. Qu'est-ce qu'il connaît ? Et toi, qu'est-ce que tu connais vraiment de ton bel esprit ?

Je suis assis depuis un bon moment et je déchire l'une après l'autre les notes que je te destinais. Je recommence sans cesse à écrire des choses comme celle-ci : « Cette nouvelle est d'une construction remarquable », et « La femme assise à l'arrière du camion est vraiment très drôle », et encore, « La conversation entre les deux flics est formidable ». Alors finalement, je contourne l'obstacle. Je ne sais pas pourquoi. Je me suis senti devenir un peu inquiet après le début de ta lecture. Ça m'a fait l'effet du début d'un texte que ton ennemi mortel Bob B… appellerait « une très bonne nouvelle ». Ne crois-tu pas qu'il appellerait celle-ci « un pas dans la bonne direction » ? Est-ce que cela ne t'inquiète pas ? Même ce qui est drôle à propos de cette femme assise à l'arrière du camion ne me fait pas l'effet d'une chose que *tu* trouverais toi-même drôle. Tu trouverais plutôt cela, je crois, d'une drôle-rie de type universel. Je me sens frustré. N'en es-tu pas fou de rage ? Tu peux dire, bien sûr, que c'est notre parenté qui gâte mon jugement. Moi, cela m'ennuie beaucoup. Pourtant, je ne suis qu'un lecteur ici. Es-tu un écrivain, ou un auteur de très bonnes nouvelles ? Lire une très bonne nouvelle de toi ne me dit rien du tout. Je veux ton *butin*.

Je ne puis oublier cette histoire. Je ne sais qu'en dire. Je sais ce qu'ont pu être les dangers d'une chute brutale dans le sentimental. Tu t'en es très bien tiré. Trop bien, peut-être. Je me demande si je n'aurais pas préféré que tu fasses un léger faux pas. Puis-je t'écrire une nouvelle, pour toi seul ? Il était une fois un grand critique musical, qui faisait autorité sur Wolfgang Amadeus Mozart. Sa petite fille entra dans une école privée très réputée alors qu'elle faisait partie d'un club de chant choral classique, et le grand critique fut très ennuyé de la voir rentrer chez elle un jour avec une compagne et de se mettre à répéter une grande quantité de chansons d'Irving Berlin, d'Harold Arlen, de Jérôme Kern et de gens comme ça. Pourquoi la petite fille ne chantait-elle pas des *Lieder* de Schubert au lieu de ces horreurs ? Il alla trouver le directeur de l'école et parla très haut sur ce chapitre. Le directeur fut très impressionné par les arguments d'un homme aussi distingué, et il accepta d'amener à composition le professeur de musique, une très vieille dame. Le grand amateur de musique quitta le bureau du directeur de très bonne humeur. Sur le chemin du retour, il repensa aux excellents arguments qu'il avait employés avec le directeur, et sa joie ne fit que croître. Sa poitrine se gonfla. Il se mit à siffler un petit air. L'air était « K – K – Katy ».

Venons-en maintenant au mémorandum. Que je présente avec orgueil et résignation. Orgueil parce que – et puis, passons là-dessus. Résignation parce que certains de mes camarades de l'université m'écoutent peut-être – ce sont tous des vétérans des plaisanteries consacrées – et j'ai l'impression très nette que ce passage prendra par la suite le titre de « Ordonnance écrite il y a dix-neuf ans pour les écrivains, les frères et les convalescents d'hépatite qui ont perdu leur chemin et ne peuvent plus continuer. » (Eh oui, il faut bien un plaisantin pour en reconnaître un autre. D'ailleurs, je sens que mes reins sont, chose étrange, un sujet de plaisanterie nouveau pour cette occasion.)

Je pense, pour commencer, que ce mémorandum fut le plus long morceau de critique que m'ait écrit Seymour à propos de tous mes Efforts Littéraires – et, en outre, que ce fut sans doute le plus long *communiqué* écrit qu'il m'ait envoyé durant sa vie. (Nous nous sommes rarement écrit, même pendant la guerre.) Il était écrit au crayon, sur plusieurs feuilles de papier que ma mère avait « empruntées » à l'Hôtel Bismarck, à Chicago, quelques années plus tôt. C'était une réponse au *bloc* littéraire le plus consistant que j'aie écrit à cette époque. C'était en 1940, et nous habitions encore tous les deux l'appartement très fréquenté de nos parents, dans une des rues soixante-dix, à l'est. J'avais vingt et un ans, et j'avais aussi le détachement qui est possible à un jeune écrivain très peu mûr et non encore publié. Seymour lui-même avait vingt-trois ans et venait de commencer sa cinquième année d'enseignement de l'anglais dans une université de New York. Voici donc ce texte dans son intégralité. (Je prévois quelques causes d'embarras pour le lecteur délicat, mais le pire, je crois, sera passé après l'adresse. J'imagine que si cette adresse ne m'embarrasse pas particulièrement moi-même, elle ne pourrait à plus forte raison embarrasser qui que ce soit.)

Cher vieux tigre qui dort,

Je me demande s'il a déjà été donné à beaucoup de lecteurs de tourner les pages d'un manuscrit pendant que son auteur ronfle dans la même pièce. Je voulais jeter un coup d'œil à celui-ci sans être dérangé. Ta voix aurait été presque de trop cette fois. Je pense que ta prose est de plus en plus le seul théâtre que tes personnages puissent supporter. J'ai énormément de choses à te dire et je ne sais par où commencer.

Cet après-midi, j'ai écrit ce qui, à mon avis, était une vraie lettre au directeur du département d'anglais (pourquoi lui ?) et cette lettre était tout à fait de ton style. C'était une très belle lettre. Elle me donnait la même impression que ce samedi après-midi du printemps dernier où je suis allé écouter *La Flûte enchantée* avec Carl, Amy et cette fille étrange qu'ils avaient amenée pour me tenir compagnie. Je portais ce jour-là ton *intoxicateur* vert. Je ne te l'avais jamais dit. (*Il faisait ici allusion à l'un des quatre foulards de luxe que j'avais achetés la saison précédente. J'avais interdit à mes frères – mais surtout à Seymour qui m'avait demandé la permission de les utiliser à son gré – d'approcher du tiroir dans lequel je les rangeais. Je les mettais toujours, et pas seulement pour rire, dans de la cellophane.*) Je n'ai pas ressenti la moindre culpabilité en le portant, mais seulement la peur mortelle de te voir entrer brusquement en scène et que tu reconnaisses ton foulard à mon cou, dans l'obscurité de la salle. Ma lettre était quelque peu différente. L'idée me vint que si les rôles étaient inversés et que tu écrivisses une lettre qui emprunte mon style, tu en serais très préoccupé. Je parvins cependant à chasser ces soucis de mon esprit – presque tous. L'une des rares choses au monde, à part le monde lui-même, qui m'attriste chaque jour, c'est la conscience que tu serais bouleversé si Boo Boo ou Walt te disait que tu parles comme moi, que tu m'empruntes involontairement des expressions. Que tu considères cela comme une sorte d'acte de piraterie, de gifle administrée à ton individualité. Est-il regrettable que nous puissions passer l'un pour l'autre de temps en temps ? La membrane qui nous sépare est si mince ! Est-il si important pour nous de savoir toujours ce qui nous revient à chacun en propre ? Il y a deux étés, lorsque je me suis absenté si longtemps, j'ai pu retrouver ceci : toi, Z...[1] et moi avons été de la même fratrie pendant déjà quatre incarnations, peut-être même plus. N'y a-t-il là nulle beauté ? Pour nous, chacune de nos individualités ne commence-t-elle pas exactement là où nous avons une dette envers ceux qui nous sont extrêmement proches, et où nous acceptons l'inévitabilité d'emprunter les plaisanteries, les talents et les particularismes des autres ? Tu remarqueras que je n'ai pas fait figurer les foulards dans cette liste. Je pense que les foulards de Buddy appartiennent à Buddy, mais quel plaisir de les emprunter sans permission !

Tu dois juger horrible de penser que mon esprit est encombré de foulards et d'objets divers en même temps que de ta nouvelle. Je passe mon temps à chercher mes idées de tous les côtés. J'ai pensé que ces petits détails pouvaient m'aider à retrouver mes esprits. Dehors, il fait clair, et je suis assis ici depuis que tu t'es mis au lit. Quelle félicité d'être ton premier lecteur ! Ma félicité serait complète si je ne savais pas que tu attaches plus de prix à mon opinion qu'à la tienne. Il me semble vraiment injuste que tu comptes

---

1. Zooey. (*N.d.T.*)

tellement sur mon avis à propos de tes nouvelles. Je veux dire que *tu* comptes tellement dessus. *Toi.* Tu pourras me convaincre du contraire une autre fois, mais je suis persuadé que j'ai dû commettre une faute très grave pour que cette situation existe. Je ne me vautre pas tout à fait dans ma culpabilité pour l'instant, mais la culpabilité est ce qu'elle est. Elle ne disparaît pas. Elle ne saurait être annulée. Elle ne peut même pas être entièrement comprise, j'en suis sûr, tellement ses racines descendent profondément dans un karma privé et ancien. La seule chose qui me sauve la vie lorsque je me mets à contempler toutes ces idées, c'est que le remords n'est qu'une forme imparfaite de la connaissance. Qu'elle ne soit pas parfaite ne signifie pas qu'on ne puisse pas s'en servir. Ce qui est difficile, c'est de la mettre en pratique avant qu'elle ne vous paralyse. Aussi vais-je écrire au plus vite ce que je pense de cette nouvelle. Si je me hâte, je suis persuadé que ma culpabilité servira ici les buts les plus nobles et les plus authentiques. Je le pense très sincèrement. Je crois que si je me hâte d'en finir, je pourrai te dire ce que j'ai probablement envie de te dire depuis des années.

Tu dois savoir que cette nouvelle est remplie de grands sauts périlleux. Des *sauts.* Lorsque tu t'es mis au lit, j'ai pensé pendant un moment que je devrais réveiller tout le monde dans la maison et commencer une party du tonnerre en l'honneur de notre grand sauteur de frère. Que *suis-je* donc pour ne pas l'avoir fait ? J'aimerais bien le savoir. Un inquiet, pour mettre les choses au mieux. Je m'inquiète de grands sauts que je puis mesurer et suivre du regard. Je pense que je rêve que tu oses sauter hors de ma vue d'un seul bond. Pardonne-moi. J'écris très vite maintenant. Je pense que cette nouvelle est celle que tu attendais depuis longtemps. Et que j'attendais, moi aussi, à ma manière. Tu sais que c'est surtout la fierté qui me tient éveillé. C'est là, je crois, mon souci capital. Dans ton propre intérêt, ne me rends pas trop fier de toi. Je crois que c'est exactement cela que j'essaie de te dire. Si seulement tu ne me tenais plus jamais éveillé par fierté ! Donne-moi, je t'en prie, une histoire qui me rende extrêmement vigilant. *Tiens-moi éveillé jusqu'à 5 heures du matin parce que ta bonne étoile t'a quitté, et pour nulle autre raison.* Pardonne-moi de souligner, mais c'est la première fois que j'écris à propos d'une de tes nouvelles une phrase qui me faisait dodeliner de la tête ! S'il te plaît, ne me laisse rien dire d'autre. Je pense ce soir que tout ce qu'on dit à un écrivain après lui avoir demandé de laisser s'éteindre sa bonne étoile n'est qu'un conseil littéraire. Je suis certain ce soir que tous les « bons » avis littéraires ne ressemblent qu'à Louis Bouilhet et à Max Du Camp le jour où ils souhaitaient que Flaubert écrive *Madame Bovary*. Eh oui, tous deux, avec leur bon goût, le poussèrent à écrire un chef-d'œuvre. Ils tuèrent aussi ses chances de vider un jour son cœur en écrivant. Il est mort en homme célèbre, la dernière chose qu'il fut en réalité. Ses lettres sont d'une lecture insupportable. Elles sont tellement meilleures qu'elles ne devraient l'être. On y lit : gâchis, gâchis, gâchis. Elles me crèvent le cœur. Je suis terrifié à l'idée de te dire, ce soir, autre chose que des futilités. S'il te plaît, suis ton cœur, ou bien perds tout. Tu t'es mis dans une colère épouvantable contre moi pendant les formalités de mobilisation. (*La semaine précédente, lui et moi et plusieurs millions d'Américains nous étions rendus dans la première école publique venue pour la mobilisation. Je l'avais surpris à rire de quelque chose que j'avais écrit sur le formulaire. Pendant le chemin du retour, il avait refusé obstinément de me dire ce qui l'avait faire rire. Ainsi que tous les membres de notre famille ont pu le vérifier, il pouvait opposer des refus inflexibles lorsque l'occasion lui semblait en valoir la peine.*) Sais-tu ce qui me faisait sourire ? Tu avais écrit que tu étais un écrivain *professionnel*. Cela m'a fait l'effet du plus bel euphémisme que j'aie jamais entendu. Quand donc as-tu jamais été écrivain de métier ? Cela n'a jamais été autre chose que ta religion. Jamais. Je suis maintenant un peu énervé. Puisque c'est ta religion, sais-tu ce qu'on te demandera à ta mort ? Laisse-moi te dire d'abord ce qu'on ne te demandera pas. On ne te demandera pas si tu travaillais à une œuvre nouvelle, magistrale, extraordinaire, à l'instant de ta mort. On ne te demandera pas si elle devait être longue ou courte, triste ou drôle, publiée ou inédite. On ne te demandera pas si tu te sentais en bonne forme pendant que tu y travaillais. On ne te demandera même pas si cette œuvre eût été la seule que tu eusses voulu jamais produire si tu avais su que ton temps était compté, que tu n'écrirais jamais plus rien – je pense qu'on ne posera cette question qu'au pauvre Sören K. Moi, je suis persuadé qu'on te posera deux questions seulement. *Est-ce que toutes tes bonnes étoiles étaient éteintes ? Écrivais-tu sous la dictée de ton cœur ?* Si seulement tu pouvais savoir que tu n'aurais aucun mal à répondre à ces deux questions ! Si seulement tu pouvais te redire chaque fois que tu vas t'asseoir à ta table de travail que tu as été un *lecteur* bien avant d'être un écrivain ! Mets-toi cette idée dans la tête, assieds-toi, ne bouge plus, et demande-toi, en tant que lecteur, quelle œuvre Buddy Glass préférerait lire si son cœur lui dictait un choix. Ce que tu feras ensuite, c'est une chose terrible, mais si simple que je parviens à peine à y croire en l'écrivant. Tu t'assieds tout simplement, sans honte, et tu écris cette œuvre toi-même. Je ne souligne pas cette phrase. Elle est trop importante pour être négligée. Ose faire cela, Buddy, ose-le ! Fais confiance à ton cœur. Tu es un artisan plein de mérite. Ton métier ne te quitterait ni ne te trahirait jamais. Bonsoir. Je me sens extrêmement énervé maintenant, et un peu enclin au tragique, mais je crois que je donnerais presque toute la terre pour te voir écrire quelque chose, n'importe quoi, une histoire, un poème, un arbre, qui fût vraiment, sincèrement selon ton cœur. La banque Dick a son bureau au Thalia. Emmenons-y tout ce paquet demain soir. Affectueusement. S.

C'est Buddy Glass qui reprend maintenant. (Buddy Glass, naturellement, n'est que mon nom de plume. Mon véritable nom est le major George Fielding Suspense.) Je me sens très énervé et un peu enclin au tragique moi aussi, et toutes mes impulsions du moment me poussent à faire des promesses étoilées au lecteur pour notre rendez-vous de demain soir. Mais si je suis correct, me dis-je, je dois aller me brosser les dents et filer au lit. Si le long mémorandum de mon frère était plutôt d'une lecture difficile, il était également fatigant, épuisant, dois-je ajouter, à dactylographier pour le bénéfice de mes amis. Pour l'instant, je porte ce joli firmament qu'il a offert en guise de cadeau qui signifiait « lève-toi-vite-et-remets-toi-de-ton-hépatite-et-de-tes-faiblesses, amen ».

Suis-je indélicat si j'annonce au lecteur ce que j'ai l'intention de faire à partir de demain soir ? Depuis plus de dix ans, j'ai rêvé qu'un homme qui n'aurait aucun goût pour les réponses rapides, brèves, claquantes, à des questions précises et directes, me demandait : « De quoi votre frère avait-il l'air ? » En un mot, le morceau de style, le « je-ne-sais-quoi », que l'autorité dont je me recommande me dit que j'aimerais le plus au monde lire au lit, c'est une description physique complète de Seymour écrite par quelqu'un qui ne serait pas disposé à l'expédier le plus vite possible – ce quelqu'un étant, en un mot bien hardi : moi-même.

Ses cheveux sautant dans la boutique du coiffeur. C'est maintenant demain soir et je suis assis, cela va sans dire, en habit de soirée. *Ses cheveux sautant dans la boutique du coiffeur.* Seigneur Dieu, est-ce là mon début ? Cette pièce va-t-elle s'emplir, lentement, inexorablement, de papiers à bonbons froissés et de tartelettes aux pommes ? Peut-être. Je refuse d'y croire, mais c'est pourtant possible. Si je recherche la sélection dans une description, je sortirai d'ici tout refroidi avant même de l'avoir commencée. Je ne puis parvenir à faire un tri, à mettre cet homme, mon frère, en fiches. Je puis, par contre, espérer que certaines choses seront effectivement dites ici avec un bon sens relatif et passager, mais je dois me défendre de servir moi-même d'écran entre mes phrases et le lecteur, pour une fois au moins dans ma vie, sinon je serai ramené au problème précédent : finir avant d'avoir commencé. Ses cheveux sautant dans la boutique du coiffeur, c'est vraiment la première chose qui me vienne à l'esprit avec quelque force. Nous allions chez le coiffeur, en général, après deux enregistrements, c'est-à-dire tous les quinze jours, en sortant de l'école. Le coiffeur avait sa boutique au coin de Broadway et de la 108ᵉ Rue ; elle s'y nichait « vertement » (hum… il est temps d'arrêter ça !) entre un restaurant chinois et une épicerie fine. Si nous avions oublié de déjeuner ou, chose plus probable, si nous avions *perdu* notre déjeuner quelque part, nous achetions parfois pour quinze *cents* de salami et quelques pickles ; nous mangions tout cela sur le fauteuil du coiffeur, en attendant que nos cheveux commencent à tomber. Les coiffeurs s'appelaient Mario et Victor. Ils ont dû mourir, depuis si longtemps que je ne les ai revus, d'un excès d'ail, ce qui est la cause de mortalité la plus répandue parmi les coiffeurs de New York. (Bon, bon ! *Coupez ce passage !* Et tâchez de l'étouffer dans l'œuf la prochaine fois.) Nos fauteuils se touchaient et lorsque Mario, en ayant terminé avec moi, s'apprêtait à aller se débarrasser de ma serviette sale, j'avais toujours, toujours, beaucoup plus de cheveux de Seymour sur moi que des miens. Peu de chose, dans ma vie, m'ont irrité davantage. Mais je ne m'en plaignis qu'une seule fois, et je commis ce jour-là une erreur fatale. Je marmottai quelque chose d'une voix manifestement irritée, à propos de ses « sales cheveux » qui me sautaient toujours dessus. Je l'avais à peine dit que j'en étais plein de remords, mais le mal était fait. Il resta muet, mais il commença aussitôt à se *faire du souci*. Cela ne fit qu'empirer sur le chemin du retour ; nous traversâmes toutes les rues en silence. Il cherchait manifestement à découvrir le moyen d'empêcher ses cheveux de sauter sur son frère chez le coiffeur. Le dernier long trottoir qui nous séparait de chez nous entre Broadway et notre immeuble, sur la 110e Rue, fut le pire. Sur ce trottoir, personne, dans notre famille, ne pouvait se faire plus de souci que Seymour s'il avait des raisons valables.

Cela suffit pour une seule soirée. Je suis épuisé.

Ceci encore pourtant : qu'est-ce que *j'attends* (c'est moi qui souligne) d'une description physique de Seymour ? Qui plus est, qu'est-ce que j'attends que *fasse* cette description ? Je voudrais qu'elle passe dans une revue, sans doute ; je veux la publier. Mais ceci n'est rien ; je veux *toujours* publier. Ce qui compte, c'est la façon dont j'entends la proposer à une revue. C'est même là l'essentiel. Je crois savoir. Je sais très bien que je sais. Je veux qu'elle atteigne une revue sans que j'aie à y mettre un seul timbre ni à utiliser une seule enveloppe. Si c'est une description vraie, je devrais pouvoir me contenter de lui donner son ticket de train, avec, peut-être, un sandwich et une boisson chaude dans un Thermos, et là se bornerait mon rôle. Les autres passagers de son compartiment devront s'en écarter légèrement, comme si elle était un peu haute. Oh ! quelle idée merveilleuse ! *Qu'il sorte de tout ceci un peu haut !* Mais haut comme quoi ? Haut, je crois, comme quelqu'un qu'on aime qui apparaît sur un perron en souriant, en souriant, après avoir gagné trois sets au tennis, trois sets durs et *victorieux*, et qui vous demande si vous avez vu son dernier revers. Oui. *Oui.*

Autre soir. Ce texte est destiné à être lu, ne l'oubliez pas. Dire au lecteur où vous vous trouvez. Être aimable – *on ne sait jamais.* Naturellement. Je suis dans le jardin d'hiver, je viens de sonner pour qu'on m'apporte mon porto, et le vieux sommelier de la famille, une souris exceptionnellement intelligente, grasse, luisante, qui dévore tout ce qu'elle trouve dans la maison, sauf les copies d'examen, va me l'apporter dans un instant.

J'en reviens aux cheveux de S..., puisqu'ils figurent déjà sur ma page. Avant qu'ils ne commencent à tomber, vers ses dix-neuf ans, à pleines poignées, il avait des cheveux secs et noirs. Secs. C'est un mot un peu sec et compliqué. Pas tout à fait cependant. Je crois que je l'utiliserais sans hésiter s'ils l'avaient vraiment été. Secs. C'étaient des cheveux qui paraissaient extrêmement faciles à tirer, et on ne se priva pas de tirer dessus ; les bébés, dans notre famille, tendaient presque machinalement la main vers eux, avant même de viser son nez, qui était pourtant, Dieu le sait, exceptionnel. Ne mélangeons pas tout. Un homme, un adolescent, un jeune homme très poilu. Les autres enfants de notre famille, surtout les garçons avant la puberté qui semblaient toujours pulluler autour de nous, admiraient ses poignets et ses mains. Mon frère Walt, à onze ans, regardait Seymour et lui demandait tout le temps d'enlever son chandail. « Enlève ton chandail, Seymour. Hé ! vas-y. Il fait *chaud* ici. » S... lui rendait son sourire, il rayonnait. Il aimait que ses frères et sœurs jouent ainsi avec lui. Moi aussi, j'aimais cela, mais pas trop souvent. Lui, toujours. Il croissait, il « forcissait », à chaque remarque indélicate ou irréfléchie que lui adressaient ses frères et sœurs cadets. En 1959, même, lorsqu'il m'arrive d'apprendre des nouvelles irritantes concernant les activités de mes frères et sœurs, je repense encore à la somme de joie qu'ils donnèrent à S... Je me souviens encore de Franny, qui avait quatre ans, et qui disait à Seymour, sur les genoux de qui elle était assise, en le regardant avec une admiration intense : « Seymour, tes dents sont tellement belles et *jaunes* ! » Il vint vers moi en trébuchant littéralement et me demanda si j'avais entendu.

Une phrase de ce dernier paragraphe m'arrête et me glace. Pourquoi n'aimais-je que de temps en temps seulement les jeux de mes frères et sœurs ? Sans nul doute parce qu'ils comportaient une forte part de méchanceté lorsqu'ils étaient dirigés contre moi. Non que je ne l'aie par recherchée, cette méchanceté. Je me demande ce que le lecteur connaît des familles nombreuses ? Et surtout, ce qu'il est prêt à entendre sur ce sujet, venant de moi ? Qu'on me permette de dire au moins ceci : lorsqu'on est frère aîné dans une famille nombreuse (surtout quand, comme c'était le cas entre Seymour et Franny, il y a une différence d'environ dix-huit ans), et qu'on choisit ou qu'on se trouve appelé à remplir, sans dons évidents, le rôle de mentor-tuteur, il est presque impossible de ne pas devenir également surveillant général. Pourtant, les surveillants généraux eux-mêmes se distinguent par leurs formes, leurs tailles et leurs couleurs. Par exemple, lorsque Seymour disait à l'un des jumeaux, à Franny, à Zooey ou même à Mme Boo Boo (qui n'avait que deux ans de moins que moi et qui jouait souvent à la dame), d'enlever leurs chaussures à semelle de caoutchouc en entrant dans l'appartement, ils savaient tous qu'il voulait dire que le parquet serait couvert de traces s'ils refusaient d'obéir, et que Bessie devrait sortir sa serpillière. Lorsque je leur donnais le même ordre, ils savaient que je voulais dire que les rebelles étaient des imbéciles. Il était inévitable que de telles différences se ressentissent dans leur manière de nous taquiner. Cet aveu, je donnerais gros pour entendre le lecteur le dire, paraîtra nécessairement honnête et hypocrite. Qu'y puis-je ? Dois-je cesser d'écrire chaque fois qu'un ton d'honnêteté vient sous ma plume ? Ne puis-je compter sur l'intelligence du lecteur pour comprendre que je ne jetterais pas ainsi mes meilleures cartes – dans ce cas, je n'insisterais pas aussi fortement sur mes insuffisances en tant que meneur d'hommes – si je n'étais pas assuré que j'étais plus que tièdement toléré dans cette maison ? Tout serait-il plus clair si je vous redisais mon âge ? À l'heure où j'écris ces lignes, j'ai quarante ans, j'ai les cheveux gris et le derrière flasque, et je ne cours guère le risque, je crois, de me frapper la tête contre les murs parce que l'équipe de basket-ball va me refuser cette année, ou parce que mon salut militaire n'est pas assez martial pour faciliter mon admission au peloton des élèves officiers. D'ailleurs, aucune page de confession n'a jamais été écrite qui ne laissât pas passer un peu de la fierté de l'écrivain d'avoir abandonné sa fierté. Ce qui est intéressant à écouter, dans tous les cas, chez un pénitent public, c'est de savoir ce qu'il cache. À une certaine période de sa vie (souvent, hélas, pendant une période de succès) un homme peut soudain sentir à sa portée d'avouer qu'il a copié le jour de son examen de fin d'études universitaires ; il peut même décider de révéler qu'entre vingt-deux et vingt-quatre ans, il était impuissant, mais ces aveux courageux ne garantissent nullement que notre homme va nous avouer qu'un jour il s'est pris de colère contre son hamster favori et qu'il l'a piétiné. Je regrette de poursuivre sur ce sujet, mais il me semble que mes préoccupations, ici, sont fondées. Je parle de la seule personne que j'ai toujours considérée comme vraiment *grande*, et la seule personne de dimensions *vraiment* considérables dont je n'ai jamais douté un seul instant qu'elle n'eût pas, en secret, toute une armoire remplie de petites vanités fatigantes et pénibles. Je trouve terrible – sinistre, même – de devoir me demander si je ne cherche pas, occasionnellement et inconsciemment, à la rendre impopulaire. Vous me pardonnerez de le dire ainsi, mais tous les lecteurs ne sont pas des lecteurs experts. (Lorsque Seymour avait vingt et un ans, à la veille d'être professeur d'anglais, alors qu'il enseignait depuis dix ans déjà, je lui demandai ce qui le fatiguait dans son métier. Il me répondit qu'à sa connaissance rien ne le fatiguait vraiment, mais qu'une chose le terrifiait : lire les notes crayonnées dans les marges des livres de la bibliothèque du collège.) Je vais en finir avec ce sujet. Tous les lecteurs, je le répète, ne sont pas des lecteurs experts, et on me dit – les critiques nous disent *tout* et le pire d'abord – que j'ai beaucoup de dons superficiels en tant qu'écrivain. Je crains très sincèrement qu'une catégorie de lecteurs ne juge extraordinaire que j'aie vécu jusqu'à quarante ans : c'est-à-dire, que je n'aie pas, comme quelqu'un d'autre sur cette page, été assez « égoïste » pour me suicider et laisser tous ceux qui m'aiment. (J'ai annoncé que j'allais en terminer avec ce sujet, mais je viens de changer d'avis. Non pas parce que je suis un homme inflexible, mais parce que cela m'obligerait à effleurer – mon Dieu, *effleurer* – les détails de son suicide, et je ne crois pas être prêt à faire cela, au train où je vais, avant plusieurs années.)

Avant d'aller me coucher, je vous dirai encore ceci, qui me semble particulièrement pertinent. Et je serais reconnaissant à mes lecteurs s'ils s'efforçaient réellement de ne pas considérer ceci comme une arrière-pensée. Voici : je puis vous donner une raison parfaitement concevable qui vous expliquera pourquoi le fait que j'ai quarante ans constitue un désavantage monstrueux pour écrire ce livre. Seymour est mort à trente et un ans. Amener son portrait jusqu'à cet âge déjà fort respectable me demandera de nombreux mois, parti comme je le suis, sinon des années. Pour l'instant, vous ne le verrez exclusivement que comme enfant et jeune garçon (et jamais, je l'espère, comme *bébé*). Et tant que je m'occuperai de lui, je serai moi aussi successivement enfant et jeune garçon. Mais je n'oublierai jamais, et le lecteur moins encore, j'en suis persuadé (mais il le fera avec un esprit moins partisan), que c'est un homme d'âge mûr et déjà un peu bedonnant qui mène le jeu. À mon sens, cette idée-là n'est pas plus mélancolique que la plupart des événements de la vie et de la mort, mais elle ne l'est pas moins non plus. Pour l'instant, vous n'avez que ma parole, mais je dois vous dire que je sais fort bien que, si Seymour et moi devions changer de rôles, il serait tellement affecté – frappé, en fait – par son ancienneté en tant que narrateur et que biographe officiel qu'il renoncerait à sa tâche. Je n'en dirai pas plus, bien sûr, mais je suis heureux d'avoir pu dire au moins cela.

C'est la vérité. S'il vous plaît, ne vous contentez pas de la voir ; sentez-la.

Je n'irai pas encore me coucher, après tout. Quelqu'un, près de moi, vient de tuer le sommeil. C'est bien fait pour lui.

Une voix pointue, désagréable (elle n'appartient à aucun de *mes* lecteurs) : vous avez dit que vous alliez nous dire de quoi votre frère avait l'air. Nous en avons assez de cette sale analyse et de tout ce fouillis gluant.

Moi, je n'en ai pas assez. Je veux tout ce fouillis gluant, morceau par morceau. Je pourrais sans nul doute faire un peu moins d'analyse, mais ce fouillis gluant, j'y tiens. Si je puis prier le ciel qu'il me laisse toute ma tête après ceci, c'est ce fouillis gluant qui exprimera ma prière.

Je crois être capable de décrire son visage, ses formes, ses manières – tout, quoi – à n'importe quelle époque de sa vie (sauf les années qu'il a passées outre-mer), et je crois pouvoir obtenir ainsi un portrait assez ressemblant. Pas d'euphémismes, s'il te plaît. Une image parfaite. (Quand donc, si je ne renonce pas à ma tâche, devrai-je dire au lecteur quelles espèces de mémoire, de puissance d'évocation ont été données à certains membres de notre famille ? Seymour, Zooey, moi-même. Je ne puis retarder ce moment indéfiniment, mais, une fois imprimés, ces détails seront d'une laideur…) Ma tâche serait grandement facilitée si une bonne âme m'envoyait un télégramme dans lequel elle me dirait quel Seymour elle entend me voir décrire. Si l'on me demande seulement de décrire *Seymour*, n'importe quel Seymour, j'obtiens facilement un portrait vivant, mais il y apparaît simultanément aux âges respectifs et approximatifs de huit, dix-huit et vingt-huit ans, avec une chevelure abondante et une tête presque chauve, portant un short de campeur à rayures rouges et portant une chemise empesée ornée de ses galons tout neufs de sergent, assis dans un fauteuil et assis sur le balcon de l'immeuble de la R K O, dans la 86ᵉ Rue. Je sens la menace que représenterait un portrait de cette sorte, et je ne l'aime guère. Pour commencer, je pense que cela inquiéterait Seymour. C'est difficile quand on choisit pour sujet celui qui est justement votre *cher maître*. Mais ses soucis s'apaiseraient, je crois, si, après une consultation sérieuse entre mes instincts et moi-même, je choisissais d'utiliser une espèce de cubisme littéraire pour présenter son visage. Je sais qu'il ne concevrait aucune inquiétude si j'écrivais tout le reste de ce livre en minuscules – *si* c'étaient mes instincts (ce pluriel est volontaire) qui m'y poussaient. Je n'aurais personnellement pas d'objection sérieuse à faire contre l'utilisation, ici, d'une forme de cubisme littéraire, mais tous mes instincts sans exception me disent de lutter bravement, en bon bourgeois, contre cette tendance. Je préfère attendre : la nuit me portera conseil. Bonsoir, bonsoir, madame Calebasse. Bonsoir. Description sanguinolente.

Puisque j'ai beaucoup de mal à m'exprimer ici, j'ai décidé ce matin en classe (tout en regardant fixement, je le crains, les incroyablement confortables fend-la-foule de Mlle Valdemar) que le seul geste réellement courtois que je puisse faire, ce serait de donner le premier mot à mon père ou à ma mère, car où pourrait-on mieux commencer qu'avec notre mère ? Cependant, les risques impliqués par une telle démarche sont écrasants. Si le sentiment ne suffit pas toujours à transformer en *fibres* certaines personnes, leur abominable mémoire naturelle s'en chargera. Dans le cas de Bessie, par exemple, ce qui compte essentiellement quand elle pense à Seymour, c'était sa très haute taille. En esprit, elle le voit sous les traits d'un Texan immense, qui devait baisser la tête en entrant dans une maison. En fait, il mesurait un mètre soixante-quinze environ, ce qui n'est ni très grand ni très petit, si l'on s'en tient aux critères définis par notre civilisation de la vitamine. Pour Seymour, c'était une taille très honorable. Il ne portait aucun culte spécial à la hauteur. Je me demandai même, à l'époque où les jumeaux dépassèrent en même temps un mètre quatre-vingts, s'il n'allait pas leur envoyer une carte de condoléances. Je pense que s'il vivait encore, il serait « tout sourires » de voir que Zooey, bien qu'acteur, soit resté de taille modeste. Lui, S..., était fermement persuadé qu'un centre de gravité placé bien bas était une caractéristique essentielle des acteurs véritables.

Ce passage sur les « sourires » de Seymour est une erreur. Car je n'arrive plus à l'arrêter de sourire maintenant. Je serais très heureux qu'un autre écrivain du genre sérieux me remplace. L'une de mes premières résolutions, lorsque je choisis cette profession, fut de placer un étouffoir sur le sourire et les rictus de mes personnages (ceux qui iraient chez l'imprimeur). Jacqueline souriait. Le gros paresseux qu'était Bruce Browning souriait d'un air rusé. Un sourire jeune illuminait les traits tourmentés du capitaine Mittagessen. Pourtant, le sourire de Seymour s'impose à moi. Pour me débarrasser d'abord du pire : je crois qu'il avait un très bon sourire, pour un homme dont les dents étaient soit médiocres, soit déjà franchement gâtées. Mais parler de la mécanique du sourire de Seymour, cela me semble très facile. Son sourire avançait ou reculait souvent alors même que tout le reste de la *circulation* faciale dans la pièce était soit figé, soit tourné dans la direction opposée. Même dans une famille comme la nôtre, le sourire de Seymour ne jaillissait pas toujours au moment attendu. Il pouvait fort bien prendre un air grave, voire funèbre, lorsqu'on soufflait les bougies des gâteaux d'anniversaire des jeunes enfants de notre famille. Par contre, il pouvait aussi se montrer positivement ravi lorsqu'un de ses frères lui montrait une éraflure qu'il s'était faite à l'épaule en nageant sous l'eau. Techniquement, je pense qu'il n'avait pas le moindre sens du sourire *social*, et, pourtant, il me semble juste (quoiqu'*un peu* extravagant) de dire que rien d'essentiel ne fit jamais défaut sur son visage. Le sourire qu'il accordait pour une éraflure à l'épaule, par exemple, était souvent affolant, lorsque c'était *votre* épaule qui avait été meurtrie, mais il avait en même temps le mérite de distraire à un moment où la distraction était capitale. Sa gravité aux repas d'anniversaire, aux surprises-parties, ne jouait pas le rôle de rabat-joie – ou, du moins, presque jamais, pas plus, en tout cas, que la prodigalité de ses sourires lorsqu'il était invité à une première communion ou à une cérémonie de bar-mitsva. Je ne crois pas faire preuve ici de partialité en sa faveur. Les gens qui ne le connaissaient pas du tout, ou seulement très peu, ou encore seulement sous les traits d'une célébrité radiophonique, en activité ou déjà en retraite, furent parfois *déconcertés* par une expression particulière – ou l'absence d'expression de son visage – mais cela ne durait jamais longtemps. Souvent, dans ces cas-là, les victimes ressentaient une sorte de curiosité agréable – jamais, autant que je m'en souvienne, le moindre ressentiment ni le moindre froissement. En premier lieu, et c'est là l'explication la plus simple, il avait toujours une expression parfaitement innocente. Lorsqu'il fut devenu homme (je parle ici, me semble-t-il, en frère un peu partial), je pense qu'il fut le dernier à avoir, parmi les adultes du grand New York, un visage absolument sans défense. Les seuls cas où je me souviens d'avoir vu apparaître une lueur de ruse sur son visage se produisirent invariablement lorsqu'il voulait distraire quelqu'un de sa parenté dans notre appartement. Mais ce n'était pas là un événement quotidien. Dans l'ensemble, je dirais qu'il maniait l'humour avec une réserve qui n'avait été donnée à personne d'autre dans notre famille. Ce qui, j'y insiste à dessein, n'implique pas que l'humour ne fût pas un composant de son régime, mais qu'il n'en recevait ou n'en prenait généralement que le morceau le plus modeste. Il lui revenait presque toujours de faire à l'instant consacré la plaisanterie familiale consacrée lorsque notre père n'était pas dans les parages, et il s'acquittait généralement de ce devoir avec bonne grâce. Pour ne donner qu'un seul exemple, mais très clair, lorsque je lisais à haute voix ma dernière nouvelle, il avait l'habitude de m'interrompre, une fois par nouvelle, au milieu d'une phrase de dialogue pour me demander si je savais que j'avais une oreille excellente pour les rythmes et les cadences de la langue parlée. Il prenait plaisir à garder un air de patriarche sage en me lançant cette remarque.

Ouvrons un paragraphe sur les oreilles. À vrai dire, j'ai tout un film là-dessus – une bobine entière sur ma sœur Boo Boo, à l'âge de onze ans, quittant la table du dîner dans un mouvement de colère, et revenant dans la pièce une minute après pour essayer une paire de boucles en papier, qu'elle avait découpées dans un carnet de notes, aux oreilles de Seymour. Elle fut très contente du résultat, et Seymour les garda toute la soirée. Peut-être ne les ôta-t-il que lorsqu'elles firent sortir du sang de ses oreilles. Mais elles ne lui convenaient pas. Il n'avait pas, je le crains, les oreilles d'un aventurier, mais celles d'un vieux cabaliste ou d'un vieux Bouddha. Avec des lobes très longs, charnus. Je me souviens qu'à son dernier passage ici, il y a quelques années, le R P Waker, vêtu d'un complet noir en draperie lourde, me demanda, pendant que je faisais les mots croisés du *New York Times*, si je pensais que les oreilles de Seymour remontaient à la dynastie Tang. Moi, je leur attribuais une origine encore plus ancienne.

Je vais me coucher. Auparavant, je vais prendre, peut-être, une dernière *consommation* dans la bibliothèque, avec le colonel Anstruther, puis j'irai me coucher. Pourquoi ce travail m'épuise-t-il autant ? Mes mains transpirent, mes entrailles se rebellent. L'homme intégré, vraiment, n'est pas en état de recevoir ce soir.

Mis à part ses yeux, et peut-être (je dis bien *peut-être*) son nez, je suis tenté de ne rien dire du reste de son visage, et au diable les portraits complets ! Je ne pourrais pas supporter d'être accusé de ne *rien* laisser à l'imagination du lecteur.

Ses yeux, de deux manières faciles à décrire, étaient semblables aux miens, à ceux de Les et à ceux de Boo

Boo, en ce que (a) tous ces yeux, en termes relativement timides, pouvaient être qualifiés de couleur queue de bœuf extra-sombre, ou de brun juif plaintif, et en ce que (b) nous avions tous des yeux en demi-cercles, et même, dans deux cas, des yeux franchement saillants. Ici s'arrête pourtant toute comparaison intra-familiale. C'est sans doute me montrer peu galant pour les dames de ma famille, mais je pense que mon vote, pour décider quelles étaient les deux « meilleures » paires d'yeux dans ma famille, irait à Seymour et Zooey. Quelle différence pourtant entre ces deux paires d'yeux, encore que la différence de couleur ne fût pas la plus marquante ! Il y a quelques années, j'ai publié une nouvelle exceptionnellement frappante, mémorable, désagréablement provocante, et restée totalement sans succès, qui concernait un petit garçon passager d'un paquebot : il y avait dans ce texte une description détaillée des yeux du jeune garçon. Par une heureuse coïncidence, j'ai justement sur moi à cet instant un exemplaire de cette nouvelle : il est épinglé avec goût au revers de ma sortie de bain. Je cite : « Ses yeux, qui étaient brun pâle et assez petits, louchaient légèrement, surtout le gauche. Mais ils ne louchaient pas assez pour le défigurer ni même pour être remarquables au premier coup d'œil. Ils louchaient assez, pourtant, pour qu'on en parle, et seulement dans la mesure où l'on aurait pu réfléchir longtemps et sérieusement avant de souhaiter qu'ils soient plus centrés, plus profonds, plus bruns ou encore plus écartés. »

(Peut-être vaut-il mieux que nous nous arrêtions ici une seconde pour reprendre *haleine*.) Le fait est (je parle en vérité, sans sous-entendre quoi que ce soit), ces yeux-là n'étaient nullement ceux de Seymour. Il avait des yeux sombres, très grands, très normalement écartés l'un de l'autre, et, en tout cas, nullement affectés de strabisme. Deux membres de ma famille au moins remarquèrent pourtant que je visais ses yeux avec cette description et eurent même la bonté de penser que je ne m'en étais pas trop mal tiré, de façon très *particulière*. En réalité, il y avait sur ses yeux un voile quasi intermittent, une sorte de superfil de la Vierge – sauf qu'il n'avait rien d'un voile et c'est là que mes ennuis commencèrent. Un autre écrivain, tout aussi drôle d'ailleurs (Schopenhauer), essaie quelque part dans ses œuvres désopilantes de décrire une paire d'yeux semblables et s'en tire, je suis ravi de le dire, par un gâchis équivalent pour ne pas parler d'un hachis.

Bien. Le nez. Je me dis pour me rassurer que le nez ne fera souffrir qu'une minute tout au plus.

Si d'aventure, entre 1919 et 1948, vous étiez entré dans une pièce où Seymour et moi nous nous trouvions déjà, il n'y aurait eu qu'un seul moyen peut-être, mais un moyen infaillible, de savoir que nous étions frères. C'eût été de regarder nos nez et nos mentons. Pour les mentons, je puis m'en débarrasser aisément en disant seulement que nous en étions pratiquement dépourvus. Mais les nez ! Nous en avions de remarquables et qui se ressemblaient comme deux gouttes au nez : deux grands machins charnus, tombants, en forme de *trompes*, qui étaient différents de tous les autres nez de notre famille sauf, chose trop frappante, celui de notre cher arrière-grand-père Zozo, dont le nez, jaillissant littéralement d'un vieux daguerréotype, m'effrayait beaucoup lorsque j'étais petit. (Pendant que j'y pense, Seymour, qui ne faisait jamais de... plaisanteries anatomiques, me surprit beaucoup un jour en se demandant à haute voix si nos nez – le sien, le mien, celui de l'arrière-grand-père Zozo – posaient les mêmes dilemmes, au lit, que certaines barbes ; autrement dit : nos nez dormaient au-dessous ou au-dessus des couvertures ?) Je cours ici le risque de paraître trop léger sur cette matière. J'aimerais souligner nettement, agressivement même s'il le faut, qu'il ne s'agissait nullement de protubérances romantiques à la Cyrano. (Sujet d'ailleurs très dangereux à tous les égards, dans ce monde neuf et amateur de psychanalyse, où chacun presque sait évidemment ce qui importait le plus du nez de Cyrano ou de ses plaisanteries, et où règne un silence clinique, très répandu, quasi international, lorsque paraît un type au grand nez dont la langue n'est pas très déliée.) Je pense que la seule différence intéressante dans la longueur, la largeur et les contours de nos deux nez était qu'il y avait une courbure très voyante, une ligne de fuite courbe très forte, je dois le dire, sur l'arête du nez de Seymour. Seymour soupçonna toujours que mon nez, par comparaison faisait plus patricien. Cette « courbure » survint un jour qu'un membre de notre famille s'exerçait assez rêveusement à faire des swings avec une batte de base-ball dans le couloir de notre vieil appartement de Riverside Drive. Après cet accident, son nez ne fut jamais redressé.

Bravo ! Les nez sont morts. Vive les nez. Je vais me coucher.

Je n'ose pas encore relire ce que j'ai écrit jusqu'ici ; ma vieille terreur de me transformer, quand sonneront les douze coups de minuit, en un vieux ruban usé de machine à écrire « Royal », est le soir plus vive que jamais. Je sens cependant que je n'ai pas présenté un portrait vivant du Grand Sheik d'Arabie. Ce qui, je crois, est assez juste. En même temps, personne ne doit soupçonner, par la faute de ma passion et de mon incompétence, que S… était, selon la terminologie habituelle et déjà usée, un homme laid et attirant. (C'était un truc très suspect, en tout cas, utilisé très communément par certaines femmes, réelles ou imaginaires, pour justifier leur attirance peut-être trop étrange pour des démons spectaculairement gémissants ou pour de jeunes cygnes mal élevés – attirance moins catégorique le plus souvent.) Même si je dois insister lourdement – et j'y suis déjà obligé, je le crains – je suis forcé de dire clairement que nous fûmes, dans une mesure quelque peu différente certes, deux enfants franchement « laids ». Mon Dieu, nous étions laids, laids ! Tout en pensant pouvoir dire que cette situation s'améliora, l'âge aidant, quand nos visages se « remplirent », je dois affirmer sans relâche que, pendant notre petite enfance, notre enfance et notre adolescence, notre vue causa à bien des gens pourtant très pondérés un choc marqué. Je parle ici d'adultes, naturellement, et non d'autres enfants. La plupart des jeunes enfants ne sont pas susceptibles de chocs – pas de chocs de cette nature en tout cas. Par ailleurs, les jeunes enfants ont rarement le sens de la générosité assez développé. Souvent, à des goûters d'enfants, la mère-large-d'esprit d'un des jeunes invités proposait une partie de tables tournantes, puis un jeu du courrier, et je puis certifier ici, en toute liberté, que les deux aînés des Glass, pendant leur enfance, reçurent régulièrement des sacs entiers de lettres non timbrées (écrites sans logique aucune, mais assez bien faites, je pense), sauf, naturellement, lorsque le facteur, dans le jeu, était une petite fille appelée Charlotte la putain, qui, de toute façon, était un peu folle. Cet amoncellement de lettres nous ennuyait-il ? nous peinait-il ?

Réfléchis bien avant de répondre, oui, toi l'écrivain. Voici ma réponse, une réponse très longuement mûrie : presque jamais. Dans mon propre cas, c'était dû à trois raisons que je n'ai pas oubliées. D'abord, mises à part deux très brèves périodes douloureuses, je restai persuadé toute mon enfance – en partie grâce à l'insistance de Seymour, mais en partie seulement – que j'étais un jeune garçon remarquablement bien partagé sous le rapport du charme et de l'intelligence, et devant tous ceux qui pensaient autrement sur ce sujet, j'avais tendance à considérer leur bon goût sous un angle brusquement nouveau. Deuxièmement (si vous pouvez encore supporter ce deuxièmement, ce que je ne parviendrais pas à m'expliquer), avant même d'avoir atteint mes cinq ans, j'étais déjà convaincu, en toute innocence, mais très fermement, que je deviendrais un jour un écrivain de tout premier plan. Troisièmement, je fus toujours secrètement ravi et fier de ma ressemblance physique avec Seymour, sans jamais pourtant m'autoriser plus que d'infimes déviations, encore qu'elles ne descendissent jamais jusqu'aux sentiments explicites. Chez Seymour lui-même, le cas était tout autre. Il passait par des phases d'indifférence et des phases de chagrin à l'égard de son apparence physique. Lorsqu'il en concevait quelque souci, c'était toujours vis-à-vis d'autres gens, et je pense ici tout spécialement à notre sœur Boo Boo. Seymour l'aimait follement. Ce qui ne signifie pas grand-chose, puisqu'il aimait follement tous les membres de notre famille et des quantités d'étrangers. Mais Boo Boo, comme la plupart des petites filles que j'ai *personnellement* connues, passa par une phase – très courte, dans son cas – au cours de laquelle les *gaffes* et les *faux pas* des adultes en général la faisaient *mourir* au moins deux fois par jour. Au moment critique de cette période, un professeur d'histoire qu'elle admirait n'avait qu'à entrer en classe, après le déjeuner, avec un soupçon de meringue collé à la joue pour que Boo Boo se dessèche et meure à son pupitre. Il lui arrivait très souvent aussi de rentrer morte à la maison pour des motifs beaucoup moins futiles, et Seymour, dans ces moments-là, devenait très soucieux. Il l'était tout particulièrement, à cause d'elle, lorsque des adultes que nous avions invités (pour des soirées, par exemple) nous disaient avec emphase que nous étions vraiment très beaux. Ce genre de conversation-là, sinon cette conversation elle-même, se produisait assez souvent et Boo Boo semblait se trouver chaque fois, par un fait exprès, à portée d'oreille, prête à mourir sur-le-champ.

Je m'inquiète peut-être beaucoup moins que je ne le devrais devant la possibilité d'étirer à l'infini ma description de son visage, de son visage *physique*. Je suis tout prêt à reconnaître que mes méthodes manquent d'une certaine perfection. Peut-être me suis-je laissé entraîner à exagérer. Je m'aperçois, en premier lieu, que j'ai discuté un à un tous les traits de son visage et que je n'ai même pas encore effleuré *la vie* de ce visage. Cette idée constitue en elle-même – je ne m'y étais nullement préparé – une cause de profonde dépression. Cependant, tout en l'éprouvant, tout en reconnaissant qu'elle me tourmente beaucoup, une conviction que j'ai maintenue intacte depuis le début de ce livre refuse de disparaître. « Une conviction » n'est pas ici le mot juste. C'est plutôt le prix qu'on accorde en guise de punition au plus gros mangeur, un certificat d'endurance. Je sens que j'ai une *connaissance*, une sorte de sixième sens littéraire, acquis peu à peu par tous mes échecs à le décrire depuis une douzaine d'années, et cette connaissance me dit que Seymour est inaccessible par l'euphémisme. Ce serait même plutôt le contraire. J'ai écrit et brûlé de façon très spectaculaire, depuis 1948, au moins une douzaine de nouvelles dont il était le héros, et dont quelques-unes, je le dis à mon corps défendant, étaient plutôt percutantes et parfaitement lisibles. Hélas, je n'avais pas « trouvé » Seymour. Il suffit de fabriquer un euphémisme pour Seymour, et il se transforme aussitôt en mensonge, il « mûrit » en mensonge. Un mensonge artistique peut-être, et parfois même un délicieux mensonge, mais un mensonge.

Je crois que je ferais tout aussi bien d'attendre encore une heure ou deux avant de me coucher. Gardien ! *Empêchez cet homme d'aller se coucher !*

Il y avait en lui tant de choses qui l'empêchaient de ressembler jamais à une gargouille ! Ses mains, par exemple, étaient très fines. Je dis fines, parce que employer l'adjectif beau m'entraînerait à utiliser la très regrettable expression « de belles mains ». Leurs paumes étaient larges, le muscle entre le pouce et l'index était, chose inattendue, très développé, « fort » (les guillemets sont ici *inutiles* – Grands Dieux, détends-toi donc !) et ses doigts, pourtant, étaient plus longs et plus minces que ceux de Bessie. Les doigts les plus longs, on avait l'impression qu'il eût fallu au moins un centimètre de tailleur pour les mesurer.

Je repense au dernier paragraphe. C'est-à-dire à la somme d'admiration personnelle que j'y ai déployée. Je me demande dans quelle mesure l'on peut être autorisé à admirer les mains de son propre frère sans susciter des commentaires chez nos contemporains. Dans ma jeunesse, père William, mon hétérosexualité (mises à part quelques… comment dire ?… quelques périodes lentes qui n'étaient pas tout à fait volontaires) fut presque toujours un sujet de conversation courant dans quelques-uns de mes groupes de travaux. Je repense pourtant en cet instant même, peut-être un peu trop vivement, que Sofia Tolstoï, au cours d'une de ses discussions (discussions, je n'en doute pas, très sciemment recherchées) avec son mari, accusa le père de ses treize enfants, l'homme déjà âgé qui continua à l'ennuyer tous les soirs de leur vie commune, d'avoir des penchants homosexuels. Je pense que Sofia Tolstoï, dans l'ensemble, fut une femme remarquablement peu intelligente – et mes atomes, chose plus grave, sont ainsi disposés qu'ils m'inclinent à penser qu'il n'y a pas de fumée sans confiture de fraises, rarement sans feu –, mais je crois fermement qu'il y a beaucoup d'ambiguïtés chez n'importe quel écrivain, et même chez ceux qui se prennent pour des écrivains ou voudraient le devenir. Je pense que si l'écrivain ricane de ceux de ses confrères qui portent des jupes invisibles, il le fait à ses risques éternels. Je n'en dirai pas plus sur ce chapitre. Ce genre de confidences est justement de celles qu'on peut le plus facilement et le plus savoureusement utiliser à de mauvaises fins. Il est vraiment étrange que nous ne soyons pas plus timorés encore que nous ne le sommes dans nos écrits.

La voix de Seymour, ses incroyables cordes vocales, je n'en parlerai pas ici. D'abord parce que je n'ai pas assez de place pour reculer. Je dirai seulement, avec ma propre voix mystérieuse si captivante, que sa voix était le meilleur instrument de musique totalement imparfait que j'aie jamais entendu. Je répète pourtant que je préfère attendre une autre occasion pour la décrire intégralement.

Sa peau était sombre ou, du moins, terreuse, mais saine, et elle était aussi extraordinairement claire. Il traversa l'adolescence sans avoir le moindre bouton, ce qui m'intriguait et m'irritait tout à la fois, puisqu'il mangeait à peu près autant que moi de bonbons et de fruits achetés dans la rue – ma mère appelait cela des produits non comestibles fabriqués par des hommes sales qui ne se lavent jamais les mains – et buvait au moins autant de limonade en bouteille et qu'il ne se lavait certainement pas plus souvent que moi. Il veillait si scrupuleusement à ce que les autres enfants de la famille, les jumeaux surtout, prissent bien leur bain, qu'il ratait souvent son tour. Ce qui me ramène, hélas, très brutalement, à parler des coiffeurs. Un après-midi que nous nous rendions tous deux chez le coiffeur, il s'arrêta pile au milieu d'Amsterdam Avenue et me demanda très calmement, tandis que des camions et des voitures nous frôlaient dans les deux sens, si cela ne me faisait rien d'aller me faire coiffer sans lui. Je l'entraînai jusqu'au trottoir (j'aimerais bien qu'on m'eût donné une pièce pour tous les trottoirs sur lesquels je l'ai entraîné pour lui sauver la vie, aussi bien dans son enfance que par la suite) et je lui dis que cela ne me plaisait pas du tout. Il avait l'impression que son cou n'était pas propre. Il tenait à épargner à Victor, le coiffeur, le spectacle de son cou sale. À vrai dire, son cou *était* sale. Ce ne fut ni la première ni la dernière fois qu'il souleva d'un doigt son col de chemise et me demanda de regarder si son cou était propre. Généralement, cette zone de son individu était aussi nette qu'elle devait l'être, mais lorsqu'elle ne l'était pas, c'était de façon vraiment outrancière.

Il faut que j'aille me coucher maintenant. La doyenne des femmes (de ménage), qui est une personne très agréable, doit venir passer l'aspirateur à l'aube.

Le terrible sujet de ses vêtements doit absolument être traité quelque part. Comme ce serait simple si les écrivains pouvaient se permettre de décrire les vêtements de leurs personnages article par article, pli par pli. Qu'est-ce qui nous arrête ? En partie, c'est notre tendance à donner au lecteur, que nous n'avons jamais eu l'honneur de rencontrer, soit le maximum, soit le bénéfice du doute – le maximum lorsque nous ne pensons pas qu'il en sache autant que nous sur les hommes et leurs mœurs, le bénéfice du doute lorsque nous préférons nous dire qu'il n'a pas sur le bout des doigts une panoplie de renseignements mineurs et précieux tout à la fois qui serait aussi complète que la nôtre. Par exemple, lorsque je suis chez mon pédicure et que, dans la revue *Peckaboo*, je tombe sur la photo d'un personnage américain célèbre – un acteur, un homme politique, un doyen d'université récemment élu – sur laquelle il figure, un chien allongé à ses pieds, assis lui-même devant un Picasso, et vêtu d'une veste en tweed, je serai en général très aimable pour le chien, poli à l'égard du Picasso, mais je puis être insupportable lorsqu'il s'agira de tirer des conclusions sur la fréquence des vestes en tweed chez les hommes célèbres des États-Unis. Je veux dire que si l'homme ne me plaît guère au premier coup d'œil, sa veste achèvera de me le rendre désagréable. Elle me fera penser que son horizon s'élargit jusqu'à l'Écosse, et bien trop vite pour moi.

Allons-y. En tant qu'aînés de la famille, Seymour et moi nous habillions à la perfection, chacun à notre manière. C'est un peu étrange (pas tellement, cependant) que nous ayons été habillés aussi terriblement mal, car, dans notre petite enfance, nous étions, je pense, très bien tournés, sans rien de remarquable dans notre tenue. Au début de notre carrière radiophonique, Bessie prit l'habitude de nous emmener chez De Pinna's, dans la Cinquième Avenue. N'importe qui pourra deviner comment elle avait déniché cette maison calme et digne. Mon frère Walt qui fut un jeune homme très élégant pensait que Bessie était tout simplement allée trouver un flic pour lui demander l'adresse d'un magasin d'habillement masculin. C'est une conjecture très plausible, puisque Bessie, dans notre enfance, soumettait ses problèmes les plus compliqués au meilleur succédané new-yorkais d'un druide – le flic originaire d'Irlande. D'une certaine façon, je puis supposer que la célèbre intuition des Irlandais joua beaucoup dans la découverte du magasin De Pinna's. Beaucoup, mais pas entièrement, loin s'en faut. Par exemple (je fais ici une petite digression, mais qui est intéressante), ma mère n'a jamais été, même dans l'acception la plus restreinte de l'expression, « une personne qui aime lire ». Je l'ai pourtant vue aller dans l'une des librairies les plus chics et les plus voyantes de la Cinquième Avenue pour offrir un cadeau d'anniversaire à l'un de mes neveux, et en ressortir, en émerger, avec l'édition illustrée du livre de Kay Nielsen, *East of the Sun and West of the Moon* ; si vous la connaissiez vous seriez sûrs qu'elle avait été très correcte, mais distante, avec les vendeurs « aimables et empressés ». Revenons-en à notre vêture. Nous commençâmes à nous habiller tout seuls (sans Bessie, et l'un sans l'autre), vers notre onzième année. Étant l'aîné, Seymour fut le premier à prendre sa liberté, mais je rattrapai mon retard à la première occasion. Je me souviens d'avoir laissé choir la Cinquième Avenue comme une pomme de terre froide et d'avoir tourné mes pas vers Broadway – plus exactement, vers une boutique de la 50ᵉ Rue où les vendeurs, pensai-je, étaient plus que vaguement hostiles mais savaient au moins reconnaître un homme né élégant lorsqu'ils en voyaient un. Au cours de la dernière année que je passai sur les ondes en compagnie de Seymour – c'était en 1933 – j'arrivais régulièrement au studio avec un complet croisé gris pâle, dont les épaules étaient confortablement rembourrées, j'arborai en même temps une chemise bleu foncé avec un col cassé et la plus propre de deux cravates jaune crocus identiques que je conservais pour toutes les cérémonies. Très honnêtement, je ne me suis jamais senti aussi bien dans mes vêtements depuis. (Je pense que les écrivains ne se séparent jamais de leurs vieilles cravates jaune crocus. Tôt ou tard, je crois, elles apparaissent dans leur prose, et ils n'y peuvent pas grand-chose.) Seymour, lui, se choisissait des vêtements extrêmement harmonieux. Le seul ennui, c'est que jamais ces vêtements – complets, et pardessus surtout – ne lui allaient bien. Ou bien il se redressait de toute sa taille, ou bien il se déshabillait à moitié, ou bien, ce qui est plus probable, il ôtait les traits de craie, lorsque les tailleurs chargés des retouches s'approchaient de lui. Ses vestes étaient toujours ou trop longues ou trop courtes. Ses manches masquaient à moitié ses pouces ou découvraient ses poignets. Ses fonds de pantalons, eux, étaient une véritable catastrophe. Ils m'inspiraient une sorte de terreur sacrée, car on eût dit, en les voyant, qu'un derrière de taille 36 normale s'était insinué dans un pantalon de la taille 42 longue. Il y a pourtant ici des détails encore plus impressionnants à considérer. Dès qu'un vêtement était effectivement en place sur lui, il l'oubliait totalement – sauf que peut-être, il ne se sentait plus nu. Il ne s'agissait pas seulement d'une antipathie instinctive ou apprise contre ce qu'on appelait dans notre milieu les gens chics. Je l'accompagnai une ou deux fois dans ses achats, et je pense, avec le recul du temps, qu'il achetait ses vêtements avec un certain orgueil (qui me satisfait, d'ailleurs), un peu comme un jeune *brahmacharya*, un novice hindou, choisirait son premier cilice. C'était vraiment étrange. Les vêtements de Seymour se mettaient à aller de travers à l'instant même où il les enfilait. Il pouvait rester quatre ou cinq minutes au moins devant la porte d'un placard ouvert, et regarder avec la plus grande attention *sa* moitié de notre porte-cravates, mais on *savait* (si on était assez stupide pour l'observer) que, dès qu'il avait fait son choix, la cravate était fichue. Ou bien son futur nœud était condamné à refuser de s'insérer convenablement dans le V de son col de chemise – il venait souvent mourir gentiment à un centimètre du bouton de col – ou bien, si le nœud *à venir* pouvait s'insérer normalement, c'était une mince bande de tissu de cette cravate qui était condamnée à émerger de son col juste sous la nuque, lui donnant ainsi l'air d'une courroie porte-jumelles comme celles qu'arborent les touristes. Je préfère pourtant laisser de côté ce sujet immense et complexe. Ses vêtements, en bref, amenaient souvent toute notre famille au bord du désespoir. Je n'en ai donné, très franchement, qu'une description très brève. Il y avait des variations infinies. Je pourrais ajouter seulement (pour en terminer très vite avec ce sujet) qu'il peut s'avérer très éprouvant d'être debout, par exemple, près d'un des palmiers en caisse de l'hôtel Biltmore, à l'heure de pointe des cocktails un jour d'été, et de voir votre frère et maître gravir quatre à quatre l'escalier, visiblement heureux de vous voir, mais ayant négligé de fermer toutes ses écoutilles, de défendre tous ses créneaux.

J'aimerais poursuivre quelques instants cette histoire d'escalier – je veux dire la poursuivre en aveugle, sans m'occuper de savoir où elle me plantera. Il montait quatre à quatre tous les escaliers. Il volait littéralement dedans. Je l'ai rarement vu monter un escalier autrement. Ce qui me conduit – avec pertinence, du moins je le présume – au sujet de la force, de la vitalité, de la vigueur. Je ne puis imaginer personne, à notre époque (je ne puis imaginer facilement qui que ce soit à notre époque) – sauf, peut-être, des marins caboteurs menant une vie très dure, quelques officiers généraux en retraite de l'armée et de la marine, et un grand nombre de petits garçons qui s'inquiètent de la taille de leurs biceps –, qui examinerait avec bienveillance les vieilles calomnies populaires sur la faiblesse physique des poètes. Je suis pourtant prêt à dire (surtout dans la mesure où tant de vrais mâles militaires et civils me comptent au nombre de leurs conteurs favoris) qu'il faut une énergie physique considérable, et non pas seulement des nerfs à toute épreuve ou un moi profond en acier trempé, pour achever la version définitive d'un poème de première qualité. Il arrive trop souvent, hélas, qu'un bon poète soit incapable de préserver son corps, mais je suis persuadé que *tous* les bons poètes naissent avec un corps solide. Mon frère, par exemple, fut l'homme le moins fatigable que j'aie connu. (Voici que je prends brusquement conscience de l'heure. Il n'est pas encore minuit, et je caresse l'idée de me laisser glisser par terre et de continuer à écrire dans une position allongée.) Je pense soudain que je n'ai jamais vu Seymour bâiller. Et il n'était pas homme à contenir un bâillement pour des raisons de correction ou d'élégance ; chez nous, on n'étouffait pas ses bâillements sans motifs graves. Moi, par exemple, je bâillais régulièrement, je m'en souviens, et je dormais bien mieux que Seymour. Par rapport aux autres, cependant, je dois souligner que nous fûmes tous les deux des petits dormeurs, même dans notre enfance. À l'époque de notre maturité radiophonique – je veux dire à l'époque où nous avions toujours chacun deux ou trois cartes de bibliothèque dans nos poches revolver, tels des vieux passeports aux pages froissées – rares étaient les soirs, les soirs de *classe* veux-je dire, où nous éteignions la lumière de notre chambre avant deux ou trois heures du matin, sauf, naturellement, pendant les rondes impressionnantes effectuées, après le couvre-feu, par le sergent Bessie. Lorsque Seymour était passionné par quelque chose, lorsqu'il était en chasse (intellectuellement parlant), il lui arrivait souvent, vers l'âge de douze ans, de passer deux ou trois nuits d'affilée sans dormir du tout : il ne paraissait pas particulièrement affecté par ce manque de sommeil et ne s'en plaignait pas. Seule sa circulation s'en trouvait ralentie ; ses mains et ses pieds restaient glacés quelque temps. Vers la troisième nuit de veille, il interrompait au moins une fois son travail pour lever les yeux vers moi et me demander si je ne sentais pas un affreux courant d'air. (Dans notre famille, personne, pas même Seymour, ne ressentait de courants d'air. Toujours des courants d'air *affreux*.) Dans d'autres circonstances, il se levait de sa chaise ou du plancher – selon qu'il était en train de lire, d'écrire ou de méditer – et allait voir si on n'avait pas oublié de fermer la porte de la salle de bains. À part moi, Bessie était la seule personne de notre famille qui pût deviner quand Seymour veillait ainsi. Elle en jugeait au nombre de paires de chaussettes qu'il portait. Dans les premières années qu'il porta un pantalon long, Bessie venait souvent soulever le bas de son pantalon pour voir s'il avait mis deux paires de chaussettes étanches aux courants d'air.

Ce soir, je suis mon propre marchand de sable. Bonsoir ! Bonsoir, vous tous qui êtes si peu communicatifs et par conséquent si agaçants !

Beaucoup d'hommes de mon âge et qui figurent dans la même tranche de revenus imposables que moi, lorsqu'ils écrivent l'histoire de leur frère décédé sous la forme enchanteresse d'un journal ou d'un carnet, ne se donnent pas la peine de nous livrer des dates ou de nous dire où ils se trouvent. Ils n'ont aucun sens de la collaboration. J'ai fait le vœu de ne pas les imiter. C'est aujourd'hui jeudi et me voici de nouveau assis sur ma vieille chaise.

Il est une heure moins le quart du matin, et je suis là depuis vingt-deux heures à rechercher, pendant que je m'occupe encore du Seymour corporel, physique, un moyen commode de décrire ses activités athlétiques et sportives sans heurter outre mesure les sentiments de ceux qui haïssent l'athlétisme et les sports en général. Je suis navré et même franchement écœuré de m'apercevoir que je ne puis me lancer dans ce sujet sans commencer par présenter des excuses. D'abord, j'appartiens au département d'anglais d'une université dont deux membres au moins sont en passe de devenir des poètes modernes figurant, de leur vivant, dans les morceaux choisis, et dont un troisième est un critique littéraire très prisé ici, dans les milieux universitaires de l'est du pays, surtout parmi les spécialistes de Melville. Tous trois (ils ont aussi, vous vous en doutez, un petit faible pour moi) se livrent à ce que je tends à considérer comme une course trop *publique*, au moment de la grande saison de base-ball professionnel, vers leur récepteur de télévision et leur bouteille de bière glacée. Malheureusement, cette petite pierre encore enrobée de mousse que je lance dans leur jardin se trouve être d'autant moins efficace que je la jette sans quitter ma maison de verre. J'ai été toute ma vie un amateur passionné de base-ball, et je suis sûr qu'il y a dans mon crâne un petit coin qui doit ressembler à un fond de cage d'oiseau, encombrée des multiples ordures et salissures d'un vestiaire de salle de gymnastique. Je puis même dire ici (et je considère cette confidence comme la limite supérieure de l'intimité entre auteur et lecteur) que l'une des raisons les plus probables pour laquelle je restai six années consécutives, dans mon enfance, au générique de l'émission, fut celle-ci : je pouvais dire sans hésiter aux *Zauditeurs* ce que les membres de l'équipe de Waner avaient fait pendant la semaine ou, chose encore plus décisive, combien de fois Cobb avait marqué un point sans handicap en 1921, quand j'avais deux ans. Suis-je resté sensible à cet endroit ? N'ai-je pas encore fait ma paix avec ces après-midi de ma jeunesse où je fuyais le réel, via la Troisième Avenue, pour rejoindre ma place de troisième ligne au terrain des *Polo Grounds* ? Je ne puis le croire. Peut-être est-ce parce que j'ai quarante ans et que je pense qu'il est grand temps que les écrivains d'âge mûr soient gentiment refoulés des stades et des arènes. Non. Je *sais* – mon Dieu, je *sais* – pourquoi j'hésite tant à présenter ici l'esthète sous son visage d'athlète. Je n'y avais pas pensé depuis des années, mais voici la réponse : il y avait avec S... et moi, à la radio, un garçon exceptionnellement intelligent et agréable, qui s'appelait Curtis Caulfield ; il a été tué au cours d'un des débarquements dans le Pacifique, dans la guerre contre le Japon. Il s'en allait avec Seymour et moi un après-midi, vers Central Park, lorsque je m'aperçus qu'il lançait un ballon comme si ses deux mains avaient été des mains gauches – en un mot, comme une fille – et je revois encore l'air de Seymour devant mon éclat de rire d'étalon moqueur.

(Comment puis-je expliquer cette profonde analyse ? Ai-je changé de camp ? Devrais-je afficher mes opinions et qualités ?)

Allons-y. S... adorait tous les sports, de plein air ou d'intérieur, et y excellait lui-même de façon spectaculaire, ou bien s'y montrait spectaculairement mauvais – rarement médiocre ou moyen. Il y a deux ans, ma sœur Franny m'informa que l'un de ses premiers souvenirs d'enfance est celui-ci : elle était allongée dans un « berceau » (comme une infante, si j'ai bien compris) et regardait Seymour jouer au ping-pong avec quelqu'un dans le living-room. En fait, le « berceau » était un très vieux lit d'enfant posé sur un chariot, et ma sœur Boo Boo avait l'habitude de la véhiculer sur cette étrange machine dans tout l'appartement, en lui faisant franchir brutalement des arrêtoirs de porte et autres obstacles, jusqu'à l'endroit où régnait l'activité la plus fébrile. Il est cependant plus que probable qu'elle regarda Seymour jouer au ping-pong lorsqu'elle était encore au berceau, et il y a de fortes probabilités pour que l'adversaire inconnu et incolore de Seymour ait été moi-même. Lorsque je jouais au ping-pong avec Seymour, il m'éblouissait généralement jusqu'à me rendre incolore. C'était un peu comme si j'avais eu en face de moi la déesse Kali elle-même, avec ses bras nombreux et ses immenses sourires et son indifférence totale à l'égard du score. Il smashait, il coupait ses balles, en les rattrapant au troisième rebond exactement comme si elles avaient été bonnes. En moyenne, trois de ses balles sur cinq partaient soit dans le filet soit très loin de la table, de sorte qu'on jouait avec lui un jeu pratiquement sans échanges. Cette réalité, cependant, ne s'imposa jamais nettement à mon intention toujours centrée sur un seul sujet à la fois, et il se montrait toujours surpris et d'une humilité déconcertante lorsque son adversaire, à la fin, se plaignait amèrement et fortement d'avoir à ramasser ses balles dans tous les coins de la pièce, sous les chaises, le piano, le divan, et dans les recoins obscurs qui existent toujours derrière les livres, sur les étagères.

Au tennis, il se montrait également odieux et extraordinaire. Nous y jouions *souvent*. Surtout pendant ma dernière année à l'université de New York. Il enseignait déjà dans cette noble institution, et il y avait bien des journées, au printemps surtout, où je redoutais, sans m'en cacher le moins du monde, l'apparition du beau temps, parce que je savais qu'un jeune homme tomberait à mes pieds, tel un ménestrel, avec un billet de Seymour m'avertissant que c'était un jour merveilleux et qu'il était tout à fait partisan de faire une partie de tennis. Je refusais de jouer avec lui sur les courts de l'université, où je redoutais d'être repéré par mes amis ou par les siens – surtout certains de ses Kollegen les plus bornés – en pleine action, de sorte que nous allions souvent à Rip's Courts, dans la

96ᵉ Rue, un de nos plus anciens repaires. L'un des stratagèmes les plus inutiles que j'aie imaginés fut de laisser volontairement chez moi mes raquettes de tennis et mon équipement, plutôt que de les enfermer au cadenas dans mon armoire, à l'université. Il n'eut jamais qu'un seul résultat. J'étais généralement entouré d'une certaine sympathie compatissante lorsque je m'habillais pour aller le retrouver sur le court et, très souvent, mes frères ou mes sœurs se regroupaient autour de moi devant la porte d'entrée pour m'aider à supporter l'attente de l'ascenseur.

Il était absolument insupportable dans tous les jeux de cartes connus : vieux garçon, poker, casino, whist sans les cœurs, bataille, bridge-plafond et bridge-contrat, vingt et un. Au vieux garçon, on pouvait encore, à la rigueur, le *regarder* jouer. Il prenait pour adversaires, lorsqu'ils étaient encore jeunes, les jumeaux. Il leur laissait entendre tout le temps qu'ils devaient lui demander s'il n'avait pas des quatre et des valets, ou bien il toussait très fort et s'arrangeait pour laisser voir son jeu. Au poker, il était *scintillant*. Vers la fin de mon adolescence, je fis pendant quelque temps un gros effort, vain d'ailleurs, pour me transformer en un type au poil, un gars-qui-a-des-copains, et je jouai souvent au poker avec des gens de mon espèce. Seymour jouait souvent avec nous. Il ne fallait pas déployer beaucoup d'imagination pour savoir quand il était plein aux as, parce qu'il se mettait à sourire, disait ma sœur, comme un lapin assis sur tout un panier d'œufs de Pâques. Pire encore, il avait l'habitude, lorsqu'il avait un brelan, un full, ou une annonce meilleure encore, de ne pas surenchérir et même de ne pas suivre un adversaire qui lui plaisait et qui n'avait même pas une paire de dix !

Il était lamentable dans certains sports de plein air. Pendant nos études primaires, lorsque nous habitions dans la 110e Rue, puis dans The Drive, il y avait souvent une partie de quelque chose l'après-midi, partie où les joueurs étaient choisis après tirage au sort de deux « capitaines », soit dans les rues adjacentes (partie de hockey jouée sur patins à roulettes), soit, plus souvent, sur un terrain gazonné, sur une piste de course pour lévriers, près de la statue de Kossuth, dans Riverside Drive (rugby ou football). Au football ou au hockey, Seymour avait l'habitude (une habitude qui déplaisait énormément à ses partenaires) de charger tout seul en traversant le terrain – souvent, d'ailleurs, brillamment – et de s'arrêter un instant pour laisser au gardien de but adverse le temps de se placer le mieux possible. Il jouait rarement au rugby, et n'y jouait, de toute façon, que lorsqu'il manquait un joueur pour compléter une équipe. Moi, j'y jouais tout le temps ; je ne détestais pas la violence, j'en avais seulement une terreur affreuse et n'avais par conséquent aucun autre choix que de jouer ; mieux encore, c'est moi qui organisais les parties ! Les rares fois où Seymour joua dans une équipe, il n'y avait aucun moyen de savoir à l'avance s'il allait être un renfort de valeur ou au contraire un poids mort pour son camp. La plupart du temps, c'était lui que le « capitaine » choisissait en premier lieu, car il avait manifestement des reins souples et semblait être né pour courir avec un ballon. Lorsque, arrivé au centre du terrain, il ne décidait pas brusquement de prendre en pitié son adversaire, il formait alors un élément de très grande valeur. Mais, je l'ai dit, on ne pouvait jamais rien savoir d'avance. Un jour, une des rares occasions bien agréables d'ailleurs, où mes propres partenaires acceptèrent en grognant de me laisser emmener le ballon à l'autre extrémité du terrain, Seymour, jouant dans le camp adverse, me déconcerta en paraissant fou de joie au moment où je chargeai dans sa direction, comme si notre rencontre était inattendue, providentielle, extraordinaire. Je m'arrêtai presque net et, naturellement, quelqu'un ne se priva pas, après le match, de dire ce qu'il pensait de mon attitude.

J'en ai déjà trop dit sur ce sujet, je le sais, mais je ne puis plus m'arrêter en si bon chemin. Comme je l'ai dit, il était aussi un joueur de première force à certains jeux. Il était même, pourrait-on dire, trop excellent. J'entends par là qu'il y a un degré d'excellence dans les sports et les jeux qu'il nous déplaît beaucoup de voir atteint par un adversaire aux méthodes peu orthodoxes, par un « salaud » classé ainsi une fois

pour toutes – un salaud sans méthodes, un sale van-
tard, ou, plus simplement, un salaud américain cent
pour cent, ce qui, me semble-t-il, couvre toute la série
des salauds, depuis ceux qui utilisent un équipement
médiocre ou bon marché avec un succès constant,
jusqu'à ceux qui, étant dans le camp gagnant,
montrent un visage inutilement heureux. L'un des
crimes de Seymour, lorsqu'il jouait excellemment,
était l'absence de méthodes, et c'était un crime
majeur. Je pense surtout à trois jeux : la balle au vol,
les billes et le billard de poche. (Je parlerai de ce dernier jeu une autre fois. Pour nous, c'était plus qu'un
jeu, c'était une véritable réforme protestante. Nous y
jouâmes après ou avant presque toutes les crises
importantes de notre enfance.) La balle au vol, pour
renseigner les lecteurs des zones rurales, est un jeu qui
se joue devant un escalier en grès ou sur le mur d'un
grand immeuble. Nous jouions ainsi : on jetait une
balle de caoutchouc contre le mur revêtu de quelque
granit d'imitation – le mélange, commun à Manhattan,
de style ionique grec et de moulures romano-
corinthiennes – sur la façade de notre immeuble, à
peu près à hauteur de taille. Si la balle rebondissait
dans la rue ou même jusqu'au trottoir opposé et
n'était pas saisie au vol par un membre de l'équipe
adverse, on comptait, comme au base-ball, un demi-
point ; si la balle était attrapée au vol, ce qui était relativement fréquent, le lanceur était mis hors jeu. Un

point entier était compté lorsque la balle était lancée assez haut et assez fort pour aller frapper le mur de l'immeuble opposé sans être attrapée au rebond. À notre époque, quelques balles atteignaient le mur opposé au vol, mais très peu le faisaient assez bas, assez lentement et assez bien pour ne pouvoir être attrapées au vol. Seymour marquait un point chaque fois qu'il jouait. Lorsque d'autres camarades du même immeuble marquaient un point, on considérait généralement que c'était un effet du hasard, un caprice – agréable ou non suivant l'équipe dont il faisait partie –, mais les échecs de Seymour à marquer un point avaient toujours l'air de caprices. Chose plus singulière et qui intéresse au plus haut point cette partie de ma présentation, il avait une manière bien à lui de lancer les balles. Tous les autres, lorsqu'ils étaient droitiers, *comme lui*, se tenaient un peu à la gauche des points de contact des balles avec le mur et lançaient la balle avec un mouvement puissant et latéral du bras. Seymour, lui, *faisait face* à la zone de projection et lançait la balle *vers le bas* – mouvement qui n'était pas sans rappeler son smash abominable, imprévisible et inutile au ping-pong et au tennis – et la balle passait en sifflant au ras de sa tête ; il faisait un très léger mouvement pour l'éviter et la laissait filer, eût-on dit, droit vers les tribunes. Lorsqu'on essayait de l'imiter (soit en secret, soit sous sa direction attentive et même empressée), ou bien on était aussitôt hors jeu, ou bien la (sale) balle vous rebondissait en plein visage. Un moment arrivait toujours où plus personne dans notre immeuble ne voulait jouer avec lui à la balle au vol – moi y compris. Très souvent, dans ces cas-là, il passait son temps à expliquer à l'une de nos sœurs les finesses de son jeu ou bien s'y adonnait en solitaire, mais d'une façon très efficace, en s'arrangeant pour que le rebond du mur opposé lui parvienne sans qu'il ait à changer de position pour rattraper la balle. (Oui, oui, je donne beaucoup de place à cette histoire, mais je trouve ces succès irrésistibles, avec trente années de recul.) Il était tout aussi excellent aux billes, ou plutôt à ce jeu que nous appelions « les billes de trottoir ». Le premier joueur fait rouler ou jette sa bille sur quinze ou vingt mètres en contrebas de la bordure de trottoir, là où aucune voiture n'est garée. Son adversaire essaie ensuite de la toucher en lançant sa bille depuis la même ligne de départ. Le succès était rare, car n'importe quel obstacle peut dévier une bille : la configuration du terrain, un mauvais rebond sur la bordure du trottoir, une vieille boule de chewing-gum, une des cent variétés de saletés qui encombrent les bordures des trottoirs de New York, pour ne rien dire d'une mauvaise trajectoire. Si le second joueur ratait le but au premier coup, sa bille s'arrêtait généralement dans une position très vulnérable, car très proche de l'autre, et le premier joueur avait alors une cible de choix. Quatre-vingts ou quatre-vingt-dix fois sur cent, à ce jeu, qu'il jouât en premier ou en second, Seymour était imbattable. Dans les tirs allongés, il faisait décrire à sa bille une courbe savante, comme au bowling lorsqu'on tire depuis l'extrême droite de la ligne de départ. À ce jeu comme aux autres, sa forme, son attitude, étaient d'une extrême et exaspérante irrégularité. Alors que tous les autres garçons de l'immeuble, sans exception, lançaient leurs tirs longs avec le dessous de la main tourné vers le bas, Seymour lançait la sienne de côté, avec une sorte de tour de poignet qui rappelait les jets de pierres en ricochets sur les étangs. Là encore, il n'avait pas d'imitateurs heureux. Essayer de l'imiter, c'était à coup sûr envoyer la bille n'importe où.

Je pense qu'une partie de mon esprit a préparé, projeté, mûri vulgairement ce qui va suivre. Il y a des années et des années que je n'y avais pensé.

Tard, un après-midi, à cette heure légèrement brouillardeuse où l'éclairage des rues vient d'être allumé et où les voitures allument leurs veilleuses – certaines restant encore éteintes – je jouais aux billes avec un garçon appelé Ira Yankauer, à l'extrémité d'une petite rue située exactement en face du store qui protège l'entrée de notre porche. J'avais huit ans. J'utilisais la technique de Seymour, son jet latéral, son tir courbe, et je perdais avec une belle régularité. Régulièrement, mais sans douleur. Car c'est l'heure de la journée où les garçons de New York ressemblent à ceux de

Tiffin, dans l'Ohio, lorsqu'ils entendent un train siffler au loin, alors que la dernière vache rentre dans l'étable. À cette heure magique, si l'on perd des billes, on ne perd que des billes. Ira, lui aussi, était prisonnier de l'heure, et il n'aurait pu, de toute façon, gagner que des billes. Dans ce grand silence, et en harmonie parfaite avec lui, Seymour m'appela. De savoir qu'il y ait dans l'univers un troisième être vivant me fut très agréable, et d'autant plus qu'il s'agissait de Seymour. Je fis aussitôt demi-tour, et je pense qu'Ira en fit autant. On venait d'allumer les grosses lampes jaunes placées sous le store de notre porche. Seymour était debout sur la bordure de trottoir, tourné vers nous, bien appuyé sur ses jambes, les mains dans les poches de sa canadienne. Avec les lumières du porche qui l'éclairaient par-derrière, son visage paraissait sombre, invisible même. Il avait dix ans. À le voir en équilibre sur la bordure du trottoir, à voir la position de ses mains, à voir... oui, le facteur inconnu X lui-même, je savais alors aussi clairement que je le sais maintenant qu'il avait pleinement conscience de la qualité magique de l'heure. « Ne pourrais-tu pas essayer de viser un peu moins longtemps ? me dit-il. Si tu le touches en visant comme ça, tu auras de la veine. » Il parlait, il *communiquait* et pourtant il ne rompait pas le charme. Ce fut moi qui le rompis. Volontairement. « Comment pourrais-je avoir de la *veine* si je *visais* ? » lui répondis-je assez haut (malgré les italiques), mais en exagérant volontairement mon irritation. Il resta muet un instant, et demeura en équilibre sur la bordure du trottoir, sans me quitter des yeux, et me considérant. Je le soupçonnais imparfaitement, avec amour. « Parce que ce sera de la veine, dit-il enfin, tu seras *heureux* de toucher ta bille, non ? Tu ne seras pas *heureux ?* Et si tu es heureux quand tu touches la bille de quelqu'un, c'est parce que, en secret, tu ne t'attendais pas à la toucher. Alors il faut qu'il y ait là-dedans une part de veine, une grosse part d'accident. » Il descendit du trottoir, sans sortir les mains de ses poches, et se dirigea vers nous. Mais un Seymour plongé dans ses pensées ne traversait jamais une rue au crépuscule en se pressant, ou, en tout cas, n'en donnait jamais l'impression. Dans cette lumière, on peut dire qu'il vint vers nous un peu comme un bateau à voile. L'orgueil, par ailleurs, est l'une des choses les plus rapides du monde, et, avant même qu'il ne fût à trois pas de nous, je dis très vite à Ira : « De toute façon, il fait noir », et interrompis là la partie.

Ce dernier morceau (de bravoure ?) m'a fait transpirer littéralement des pieds à la tête. Je voudrais bien fumer une cigarette, mais mon paquet est vide, et je ne me sens pas en état de quitter cette chaise. Seigneur ! quelle noble profession que la nôtre ! Que sais-je exactement de mon lecteur ? Que puis-je exactement lui dire sans mettre dans l'embarras inutilement ni lui ni moi ? Je puis lui dire ceci : une place a été réservée pour chacun de nous deux *dans son propre esprit*. Jusqu'à cette minute, j'avais vu la mienne à peu près quatre fois de toute ma vie. Elle vient de m'apparaître pour la cinquième fois. Je vais m'allonger par terre une demi-heure. Je vous prie de m'excuser.

Ceci me fait l'effet étrange et gênant d'un programme de théâtre, mais après ce dernier paragraphe théâtral, je sens que je ne puis m'en dispenser. Il est maintenant trois heures plus tard. Je me *suis endormi sur le plancher. (Je ne suis pas tout à fait réveillé encore, chère baronne. Ma chère ! Qu'avez-vous donc pensé de moi ? Vous me permettrez, je vous en supplie, de sonner pour qu'on monte une petite bouteille de vin. Il provient de mes petits vignobles et je pense que vous pourriez peut-être...)* Je voudrais vous annoncer, avec tout l'allant possible, que, quelle qu'ait été la cause de mon indiscrétion sur ma page d'il y a trois heures, je ne suis pas, je n'étais pas et je n'ai jamais été le moins du monde victime de mes propres pouvoirs (mes propres petits pouvoirs, baronne) de remémorisation presque totale. À l'instant même où je devins, ou fis de moi-même, une pauvre épave misérable, je ne prêtais pas une attention totale aux paroles de Seymour, ni à Seymour lui-même, d'ailleurs. Ce qui me frappa surtout, me rendit momentanément incapable de la moindre réaction, ce fut, je crois, de m'apercevoir soudain que Seymour *était* ma bicyclette Davega. J'ai attendu toute ma vie qu'arrive à moi une vague envie de donner ma bicyclette Davega, sans parler, bien sûr, de l'esprit de suite nécessaire à la réalisation complète de cette envie. Je me hâte de m'expliquer.

Lorsque Seymour et moi avions respectivement quinze et treize ans, nous sortîmes un soir de notre chambre pour aller écouter, je crois, Stoopnagle et Budd à la radio, et nous pénétrâmes dans une salle de séjour où régnait un vacarme étrangement assourdi et stoppé net à notre entrée. Il n'y avait que trois personnes présentes dans la salle, mon père, ma mère et mon frère Waker, mais je soupçonne qu'il y avait d'autres personnages plus petits qui écoutaient aux portes, dissimulés dans des endroits stratégiques secrets. Les était extrêmement rouge, les lèvres de Bessie étaient tellement serrées qu'on ne les voyait plus, et notre frère Waker, qui avait exactement à cet instant, selon mes calculs, neuf ans et douze heures, était debout près du piano, en pyjama, pieds nus, le visage en larmes. Mon impulsion première, dans ce genre de situation familiale, était toujours de prendre la poudre d'escampette, mais comme Seymour ne semblait pas du tout décidé à s'en aller, j'attendis. Les, avec une chaleur qu'il contenait difficilement, exposa devant Seymour la thèse de l'accusation. Le matin même, comme nous le savions tous, on avait offert à Waker et à Walt des cadeaux d'anniversaire semblables, splendides, bien au-dessus des moyens de notre famille : deux bicyclettes à rayures blanches et rouges, à doubles barres, à bonne hauteur. Waker et Walt avaient passé une bonne partie de l'année à les admirer dans la vitrine du magasin de sports Davega, dans la 86e Rue, entre Lexington Avenue et la Troisième Avenue. Une dizaine de minutes environ avant que Seymour et moi ne soyons sortis de notre chambre, Les s'était aperçu que la bicyclette de Waker n'était pas garée à l'abri, à côté de celle de Walt, dans le sous-sol de notre immeuble. L'après-midi même, dans Central Park, Waker avait donné la sienne. Un garçon qu'il ne connaissait pas (« un imbécile qu'il n'avait *jamais* vu de sa vie ») était venu demander à Waker de lui donner sa bicyclette, et Waker la lui avait tendue. Ni Les ni Bessie, naturellement, n'oubliaient dans ces circonstances les « intentions si généreuses » de Waker, mais ils avaient pourtant sur les détails de cette transaction un point de vue très particulier, et d'une logique implacable. En substance, ils pensaient tous les deux – et Les le répéta avec véhémence pour Seymour – que Waker aurait dû laisser le garçon faire *un long tour* sur son vélo. Waker l'interrompit en sanglotant. Le garçon, expliqua-t-il, ne voulait nullement faire un long tour, il voulait la bicyclette. Il n'avait jamais eu de bicyclette, lui ; il en avait toujours eu envie. Je regardai alors Seymour. Il était passionné par cette conversation. Il avait de plus en plus un air d'extrême bonne volonté, mais semblait absolument incapable d'arbitrer une discussion de cette sorte, et je compris brusquement, instruit par l'expérience, que la paix n'allait pas tarder à être miraculeusement rétablie dans notre salle de séjour. (« Le sage est plein d'angoisse et d'incertitude lorsqu'il entreprend quelque chose, aussi réussit-il toujours. » Livre XXVI, les textes de Chuang-Tzu.) Je n'expliquerai pas ici en détail (pour une fois) comment Seymour – il doit y avoir une façon plus claire d'exprimer cela – de gaffe en gaffe, atteignit le fond du problème, de sorte que, quelques minutes plus tard, les trois belligérants s'embrassèrent et firent la paix. Ce que je veux dire ici est extrêmement personnel, et je crois m'être expliqué assez clairement.

Ce que Seymour me cria – ou, plutôt, m'enseigna – ce soir de 1927 pendant la partie de billes me paraît capital, et je pense que cet enseignement mérite quelques commentaires. Il les mérite même si rien ne me semble plus capital – je risque de choquer ici quelques lecteurs – avec le recul du temps, que le fait que le frère dudit Seymour, déjà bien atteint par l'embonpoint, reçoive en cadeau, à l'âge de quarante ans, une bicyclette Davega, enfin qu'il la donne à quelqu'un, et de préférence au premier demandeur. Je m'aperçois que je réfléchis, avec une certaine *lenteur*, au fait de savoir s'il est vraiment *correct* de passer d'une affirmation pseudo-métaphysique, si personnelle ou si minuscule soit-elle. Je veux dire : peut-on effectuer ce passage sans d'abord s'attarder, flâner, dans le style verbeux auquel je suis accoutumé ? Quoi qu'il en soit, voici : lorsqu'il me disait, depuis la bordure de trottoir opposée, de cesser de viser avec ma bille celle d'Ira Yankauer – et il avait, ne l'oubliez pas, dix ans seulement –, je crois qu'il touchait, d'instinct, un esprit très proche des instructions qu'un maître archer japonais donne à un nouvel élève plein de bonne volonté lorsqu'il lui interdit de viser le but avec sa flèche ; dans ce cas, le maître archer permet, pour ainsi dire, de viser sans viser. Je préférerais pourtant laisser le zen et les archers zen en dehors de cette dissertation abondante, en partie, sans nul doute, parce que le mot zen devient de plus en plus vite, pour ceux qui ont du discernement, un mot ordurier et en quelque sorte culturel, raisonnement qui, je dois le dire, ne manque pas de justifications, aussi superficielles soient-elles. Je dis superficielles parce que le zen, dans sa forme pure, survivra certainement à ses champions occidentaux, qui en général semblent confondre sa doctrine du presque-détachement avec un encouragement à l'indifférence spirituelle, sinon à la dureté égoïste, et qui n'hésitent nullement à mettre KO un bouddha sans avoir pris la précaution d'attendre que leur pousse un poing en or. Le zen pur – est-il besoin de le dire ? je crois qu'il en est besoin, à la vitesse à laquelle je vais – sera encore présent quand les snobs comme moi auront passé. Je préférerais pourtant ne pas comparer les conseils de Seymour à ceux des archers zen pour la simple raison que je ne suis ni un archer zen ni un bouddhiste zen, et encore moins un adepte du zen. (Serait-il déplacé de dire ici que les racines de Seymour et les miennes dans la philosophie orientale – même si j'emploie avec quelque hésitation le mot « racines » – sont, et furent, plantées dans l'Ancien et le Nouveau Testament, dans l'Advaïta Vedanta et taoïsme classique ?) Je me considère souvent, si je puis me permettre la douceur d'un nom oriental, comme un karma yogin de quatrième classe, avec un assaisonnement de jnana yoga quelque peu hypothétique. Je suis fortement attiré par la littérature zen classique, j'ai la tristesse de l'expliquer en cours en même temps que celle du bouddhisme mahayana un soir par semaine à l'Université, mais ma vie elle-même ne pourrait guère être moins occupée par le zen qu'elle ne l'est, et le peu que j'ai pu appréhender (je choisis ce verbe tout exprès) de l'expérience zen a été un sous-produit accessoire de mon propre penchant naturel à vivre sans le secours du zen. Cela est dû essentiellement aux supplications de Seymour, que je suivais parce que, dans ce domaine, je ne l'avais jamais vu se tromper. Heureusement pour moi, et sans doute pour tout le monde, je ne juge pas très utile de mêler le zen à cette histoire. La méthode de lancer de bille que Seymour me recommandait, par une pure intui-tion, peut légitimement être mise en relation, sans l'intervention de la philosophie orientale, avec le bel art qui consiste à lancer un mégot dans une petite corbeille à papier à travers une pièce. Art que, je le crois, la plupart des fumeurs (pas des fumeuses) possèdent parfaitement lorsqu'ils se moquent éperdument de savoir si le mégot atterrira finalement dans la corbeille à papier, ou lorsque la pièce a été débarrassée de témoins y compris, pour ainsi dire, le lanceur lui-même. Je vais m'efforcer de ne pas prolonger trop longtemps cette métaphore, que je juge pourtant délectable, mais je trouve utile d'ajouter – pour en revenir momentament aux billes – que, quand Seymour lui-même lançait une bille, il était tout sourires lorsqu'il entendait le bruit caractéristique du choc des deux billes de verre, mais on ne pouvait jamais savoir s'il avait conscience que c'était *sa* bille qui avait touché l'autre ou l'inverse. Et il est également vrai qu'il fallait toujours aller ramasser à sa place la bille qu'il avait gagnée et la lui tendre.

Dieu merci, c'est fini. Je puis vous garantir que je n'avais pas passé commande de ce passage-là !

Je pense – je *sais* – que j'en viens maintenant à la dernière notation physique de cette présentation. Autant qu'elle soit raisonnablement drôle. J'aimerais beaucoup changer l'atmosphère avant d'aller me coucher.

C'est une anecdote, hélas, mais tant pis. Vers neuf ans, j'entretenais l'idée plaisante que j'étais le coureur à pied le plus rapide du monde dans ma catégorie. C'est là une sorte d'idée étrange, absolument pas prévue au programme, que, je préfère le dire franchement, on n'abandonne pas facilement, et aujourd'hui encore, à quarante ans bien sonnés et bien tranquilles, je m'imagine encore, en habits *de ville*, doublant à folle allure une série de coureurs olympiques réputés et hors d'haleine, en leur faisant de grands sourires et de grands gestes, sans la moindre trace de condescendance. Un beau soir de printemps, alors que nous habitions encore Riverside Drive, Bessie m'envoya chercher à l'épicerie voisine deux pots de glace. Je sortis de l'immeuble à cette heure magique que j'ai décrite plus haut. Chose tout aussi fatale pour cette anecdote, je portais des chaussures de tennis, chaussures qui représentent pour le coureur à pied le plus rapide du monde la même chose que des chaussures rouges pour la petite fille d'Andersen. J'avais à peine quitté l'immeuble que j'étais déjà Mercure lui-même, et j'entrepris un sprint « éblouissant » le long des maisons qui mènent à Broadway. Je tournai le coin de Broadway sur les chapeaux de roue et continuai à foncer, à tenter l'impossible, *à accélérer* encore l'allure. L'épicerie qui vendait les glaces Louis Sherry, les préférées de Bessie, se trouvait à la hauteur de la 113e Rue, trois rues plus loin, vers le nord. À mi-chemin de là, je passai à folle allure devant la librairie où nous achetions nos journaux et revues, mais j'allais si vite que je ne remarquai aucune figure de connaissance dans le voisinage. Ce fut seulement une rue plus loin que je reconnus un bruit de poursuite derrière moi, un bruit de pas, sans erreur possible. Ma première idée, une idée typiquement new-yorkaise, fut que les flics étaient à mes trousses – pour m'accuser, vraisemblablement, d'avoir battu un record de vitesse dans une rue sans écoles. Je fis le maximum pour aller encore un peu plus vite, mais en vain. Je sentis une main m'agripper par mon chandail, à l'endroit même où auraient dû être cousus les numéros de l'équipe gagnante, et alors, effrayé, je m'arrêtai net, avec la maladresse d'un oiseau. Mon poursuivant, naturellement, n'était autre que Seymour, et il semblait très effrayé lui-même. « Qu'est-ce qui se passe ? Qu'est-ce qui t'est arrivé ? » me demanda-t-il d'une voix éperdue. Il me tenait toujours par le dos de mon chandail. Je me dégageai de son emprise et lui dis, dans l'idiome plutôt eschatologique de notre quartier, que d'ailleurs je me refuse à transcrire ici mot pour mot, qu'il ne se passait *rien*, que *rien* ne m'était arrivé, que je courais, tout simplement. Il fut extrêmement soulagé. « Bon sang ! Ce que tu m'as fait peur ! dit-il. Il fallait te voir filer comme un lapin ! J'ai à peine réussi à te rattraper ! » Nous allâmes ensuite à petits pas jusqu'à l'épicerie. Chose étrange ou pas, le moral du second coureur à pied du monde (c'était le cas) n'avait guère été altéré. D'abord, j'avais été battu par lui. Et puis, j'étais trop occupé à le regarder reprendre péniblement son souffle. C'était très divertissant de le voir haleter.

Voilà, j'ai fini. Ou plutôt, cette présentation en a terminé avec moi. Par nature, mon esprit s'est toujours refusé à une fin quelconque. Combien de nouvelles n'ai-je pas déchirées depuis mon enfance pour la seule raison qu'elles avaient ce que Somerset Maugham, ce vieux bruit qui harcèle Tchekhov, appelle un début, un milieu, et une fin ? Trente-cinq ? Cinquante ? L'une des mille raisons pour lesquelles j'ai cessé d'aller au théâtre à vingt ans fut que j'étais furieux d'être obligé de sortir de la salle en rang d'oignons parce qu'un quelconque auteur dramatique passait son temps à baisser son sale rideau. (Qu'est-ce qui a donc fini par arriver à ce robuste et ennuyeux Fortinbras ? Qui a fini par lui régler son compte ?) Quoi qu'il en soit, j'ai terminé. Il reste deux ou trois remarques physiques très décousues que j'aimerais faire, mais je sens trop nettement que mon heure est venue de m'arrêter. Il est d'ailleurs sept heures moins vingt, et j'ai cours à 9 heures. Il me reste juste assez de temps pour somnoler une demi-heure, me raser et prendre, peut-être, un bain de sang frais et rafraîchissant. J'ai envie de dire quelque chose de légèrement caustique sur le compte des vingt-quatre demoiselles, à peine rentrées de leur week-end à Cambridge, à Hanover ou à New Haven, et qui m'attendront dans la salle 307, mais je ne puis achever une description, même une description où mon égotisme, mon envie terrible de partager avec lui les compliments, est partout éclatante, sans garder présent à l'esprit ce qui est bon, ce qui est réel. C'est trop grandiose à dire (aussi suis-je justement l'homme qu'il faut pour le dire), mais je ne suis pas pour rien le frère de mon frère, et je sais – pas toujours, mais je *sais* – que je ne fais rien de plus important que de me rendre dans l'horrible salle 307. Il n'y a pas une fille dans cette salle, y compris la terrible Mlle Mabel, qui ne vaille autant que ma sœur Boo Boo ou ma sœur Franny. Elles brillent peut-être de toutes les fausses lumières des siècles passés, mais elles brillent. Voici une idée qui me frappe : en cet instant, il n'y a aucun lieu au monde où je préférerais me trouver que la salle 307. Seymour m'a dit un jour que nous passons tous notre vie à aller d'un petit arpent de terre sainte à un autre. N'a-t-il *jamais* tort ?

Au lit maintenant. Vite. Vite et lentement.

Composition et mise en pages
Nord Compo à Villeneuve-d'Ascq

Imprimé en Espagne par
Liberdúplex
à Sant Llorenç d'Hortons (Barcelone)
en janvier 2019

N° d'impression : 72036
N° d'édition : 58356/01